Nele

Otto & Tanne

Lukas

Usch Luhn

Nele

und die wilde Bande

Usch Luhn

Nele
und die wilde Bande

Mit Illustrationen
von Franziska Harvey

cbj ist der Kinder- und Jugendbuchverlag
in der Verlagsgruppe Random House

Verlagsgruppe Random House FSC-DEU-0100
Das für dieses Buch verwendete FSC®-zertifizierte Papier
EOS liefert Salzer Papier, St. Pölten, Austria.

Gesetzt nach den Regeln der Rechtschreibreform

1. Auflage 2011
© 2011 cbj, München
Alle Rechte vorbehalten
Umschlagbild und Innenillustrationen: Franziska Harvey
Umschlaggestaltung: schwecke.mueller Werbeagentur GmbH, München
cl · Herstellung: Claudia Zobel / Sabine Kittel
Satz: Uhl + Massopust, Aalen
Reproduktion: Reproline mediateam, München
Druck: GGP Media GmbH, Pößneck
ISBN 978-3-570-13954-7
Printed in Germany

www.cbj-verlag.de

Inhaltsverzeichnis

Ich bin  **Nele**

und das ist meine Welt!

Ich wohne auf Burg Kuckuckstein. Angeblich geistert hier der alte Graf Kuckuck herum, aber bis jetzt hab ich immer nur ein paar Fledermäuse aufgeschreckt. Ich mag Lesen und bunte Wände und ich liebe Abenteuer. Und davon gibt es hier jede Menge!

Papa

ist die Ruhe selbst und bastelt immerzu an unserer maroden Burg herum.

Mama

ist neuerdings rasend Reporterin und immer im Stress.

Tante Adelheid

kann auf Elefanten reiten, mag keine Kreuzfahrten und ist verliebt in Sir Edward.

David

ist mein großer Bruder
und oft einfach die Pest!

Plemplem

ist der verrückteste
Vogel der Welt und
Besitzer von Burg
Kuckuckstein.

Otto & Tanne

gehört zu Tanne, kann tolle
Kunststücke und jagt super
gerne Kaninchen.

ist meine beste Freundin, eine
tolle Schwimmerin und hat Angst
vor Gespenstern.

Lukas

hilft auf dem Ponyhof
Sonnenblume aus und kann
Zickenkrieg nicht leiden.

Das erste Kapitel

beginnt mit heftigem Herzklopfen ✿ geht mit Schmetterlingen
im Bauch weiter ✿ zeigt, dass Hunde echte Leckermäuler sind …
✿ … und auch sonst total pfiffige Tiere ✿ und endet mit

Juchuh, Klara!

»Klara kommt, Klara kommt, Klara kommt!«

Nele lief barfuß über den Hof von Burg Kuckuckstein Richtung Küche und schlug aus Übermut ein Rad. Endlich war es so weit. Ihre Freundin Klara durfte sie auf der Burg besuchen. Bei diesem Gedanken hüpften nicht nur Neles Füße, sondern auch ihr Herz wie verrückt. Seit Klara auf die neue Schule ging und Nele umgezogen war, hatten die zwei nur ganz selten miteinander telefoniert. Aber die lustigen Briefe von Klara hatte Nele bestimmt schon hundertmal gelesen. Klara konnte super gut zeichnen und so schickte sie Nele richtig lange Bildergeschichten. Umgekehrt war Nele etwas schreibfaul. Das lag aber nicht daran, dass sie gar nicht mehr an Klara dachte.

Nele war einfach von morgens bis abends total unter Dampf. Und das kam so.

Zu ihrem neunten Geburtstag hatte sich ihr großer Traum verwirklicht: Nele war Hundemama geworden.

Obwohl seitdem einige Zeit vergangen war, sah Sammy immer noch aus wie eine süße weiße Wolke. Momentan benahm er sich aber eher wie ein kleiner wilder Teufel.

Er verschleppte die Putzlappen von Neles Papa aus der Werkstatt, schlidderte über superwichtige Notizen, die Neles Mama in ihrem Arbeitszimmer liegen hatte und knabberte an Großtante Adelheids tollen Hausschuhen herum, bis sie nasse Klumpen waren. Er hatte nicht einmal vor dem Papagei Plemplem Angst, obwohl der einen ziemlich scharfen Schnabel hatte und Sammy bereits einen schmerzhaften Nasenstüber verpasst hatte. Aber für die Hundeschule war der übermütige Frechdachs einfach noch zu winzig.

Um ihre Familie bei Laune zu halten, übernahm Nele sogar freiwillig den Spüldienst, fegte das Laub im Burghof und machte Papas Lieferwagen sauber.

Ganz schön anstrengend, fand Nele. Schließlich ging sie ja nebenbei auch noch in die Schule und wollte mit Tanne und Lukas im Waldsee herumtoben.

Doch jetzt waren erst mal Ferien und Nele konnte ausschlafen. Außer an diesem Morgen natürlich. Aber heute war ja auch ein ganz besonderer Tag. Zum Frühstück hatte Großtante Adelheid ausnahmsweise süße Pfannkuchen mit Zimt und Zucker gebacken. Normalerweise verschlang Nele davon mindestens fünf Stück. Deshalb war Großtante Adelheid ganz überrascht, als Nele nach dem zweiten den Teller wegschob.

»Bin satt. Können wir jetzt los?«, rief sie aufgeregt und sprang auf.

Großtante Adelheid grinste und goss sich ungerührt Tee und Milch in ihren Becher. »Ich brauche ein ordentliches Frühstück, bevor ich das Haus verlasse. Außerdem fährt Klaras Zug nicht schneller, nur weil du es nicht erwarten kannst.« Sie häufte zwei Löffel Erdbeermarmelade auf ihren dampfenden Pfannkuchen und verteilte sie im Schneckentempo.

Nele hopste wie ein Flummi um den Tisch herum und beobachtete jeden Bissen, den ihre Großtante hinunterschluckte, mit großer Ungeduld. Sie spürte so einen wilden Schwarm Schmetterlinge in ihrem Bauch, dass sie das Gefühl hatte, sogleich aus dem geöffneten Fenster zu fliegen.

Oh nein! Jetzt nahm sich Adelheid auch noch die Tageszeitung vor, und begann, sie Buchstabe für Buchstabe durchzulesen. Wie lange dauerte das denn?

»Wann bist du endlich satt?«, quengelte Nele. »Kannst du mit so einem vollen Bauch überhaupt Autofahren?«

Großtante Adelheid lachte. »Mach dir mal keine Sorgen, Schätzchen. Ich habe noch genug Platz im Auto.«

In diesem Moment schoss Sammy in die Küche. Er sprang mit einem Satz auf die Eckbank, schnappte sich die restlichen Pfannkuchen und verschlang sie mit einem einzigen Haps. Mit einem lauten *Wuff*, als ob er sich für den Leckerbissen bei Großtante Adelheid bedanken wollte, flüchtete er mit seiner Beute aus der Küche.

»Sammy, du Schlingel!«, rief Großtante Adelheid ihm empört hinterher.

Nele musste total loslachen. Ihr kleiner Hund war wirklich schlau. Bestimmt konnte er es auch nicht mehr aushalten, Klara am Bahnhof zu begrüßen.

So frech Sammy im Augenblick auch war: dumm war ihr Hund jedenfalls nicht.

»Oje, das tut mir aber leid, Tante«, kicherte Nele. »Die Pfannkuchen sind leider alle. Fahren wir jetzt endlich?«

Großtante Adelheid stand stöhnend auf. »Ich weiß nicht, wer von euch beiden die größere Nervensäge ist«, sagte sie und ging ins Badezimmer, um sich noch schnell die Zähne zu putzen.

Nele rannte schon einmal hinunter in den Hof und pfiff nach Sammy. Mit hängenden Ohren kam er angeschlichen. An seinem Maul klebten noch Reste von Puderzucker, die er an Neles Beine schmierte, als er sich an sie drückte.

»Tu nicht so falsch, du frecher Dieb«, schimpfte Nele mit erhobenem Finger.

Sammy winselte schuldbewusst und guckte sie aus seinen Kulleraugen treu an.

Nele zwinkerte und kraulte ihn am Rücken. »Gut gemacht, mein Süßer!«, flüsterte sie ihm ins Ohr, während sie in an die Hundeleine legte. »Und jetzt ab ins Auto.«

Großtante Adelheid war seit Kurzem stolze Besitzerin eines kleinen roten Autos. Mit dem Mini fuhr sie über Stock und Stein. Weil das Wetter super war, hatte Großtante Adelheid das Dach geöffnet. Das sah ziemlich cool aus.

Nele öffnete die Tür und Sammy sprang freudig bellend in das Hundekörbchen, das Adelheid extra für ihn auf den Rücksitz gestellt hatte. Er rollte sich so artig darin ein, als könne er kein Wässerchen trüben.

Endlich tauchte Großtante Adelheid auf. Sie hatte sich todschick zurechtgemacht und trug eine ulkige braune

Ledermütze auf dem Kopf, damit der Fahrtwind ihre Haare nicht durcheinanderwirbelte.

»Wann sind wir endlich da? Kannst du nicht ein bisschen schneller fahren?«, fragte Nele ohne Unterlass, als sie endlich unterwegs waren.

»Nele, du bist lästiger als Plemplem«, wies Großtante Adelheid sie zurecht.

»Das ist kein Hubschrauber sondern ein Auto. Außerdem haben wir noch jede Menge Zeit.«

Wie meistens hatte Adelheid recht. Als sie auf den Bahnsteig kamen, war von Klaras Zug weit und breit noch nichts zu sehen. Nicht einmal die Bahnschranken der Bundesstraße waren heruntergelassen.

»Ist der Zug auch wirklich pünktlich?«, fragte Nele den Bahnschaffner. Er hatte Großtante Adelheid erkannt und grüßte sie freundlich. »Meine Freundin kommt heute nämlich zu Besuch.«

Der Schaffner lächelte Nele an. »Keine Sorge. Wir sind auf die Minute genau.«

Und dann war es endlich so weit. Der silberfarbene Zug schoss in den Bahnhof und bremste quietschend. Momente später gingen die Türen auf.

Klara sprang als Allererste aus dem Waggon und warf ihren Rucksack achtlos auf den Boden, als sie Nele erblickte.

»Klara!!!«, kreischte Nele los und stürzte auf ihre Freundin zu. Sie fiel ihr vor Glück schluchzend um den Hals. Sie beiden hielten sich ganz doll fest und führten einen wilden Freudentanz auf. Dabei kreischten sie sich die Seele aus dem Leib.

Sammy begann laut und aufgeregt zu bellen. Schließlich verwandelte sich sein Bellen in ein hohes Jaulen, als ob er Bauchschmerzen hätte. Großtante Adelheid konnte ihn gar nicht beruhigen, so sehr sie sich auch bemühte.

Nele beachtete den aufgelösten Sammy nicht. Sie hatte gerade keine Zeit für ihn. Vielmehr hielt sie mit Klara überglücklich Händchen und hüpfte mit ihr zu Großtante Adelheids Mini, während diese sich mit Klaras Rucksack abschleppte und mit dem heftig an der Leine zerrenden Sammy kaum hinterherkam.

Das zweite Kapitel
hält eine Überraschung für Nele parat ✧ zeigt Sammy von
einer ziemlich ungezogenen Seite ✧ macht Nele aufs Erste
ratlos ✧ enthüllt, dass auch die besten Freunde unberechenbar
sind ✧ und schickt Nele mit einer wichtigen Frage ins Bett

Was ist hier eigentlich los?

Großtante Adelheid verfrachtete die zwei Plappermäu-
ler mit Sammy auf den Rücksitz, verstaute Klaras Rucksack im Kofferraum und düste eilig los. Zu Hause wartete
nämlich bereits eine tolle Überraschung auf Neles Freundin.

»Beißt der auch nicht?«, fragte Klara ängstlich, als
Sammy sich zwischen Klara und Nele quetschte. Das war
eigentlich gar nicht erlaubt, normalerweise musste er in
seinem Körbchen sitzen bleiben, damit nichts passierte,
wenn Großtante Adelheid mal heftig bremsen musste.
Aber wie immer war Sammy ziemlich dickköpfig, wenn
er sich etwas vorgenommen hatte.

»Beißen?«, gackerte Nele los. »Sammy ist der liebste Hund von der ganzen Welt. Stimmt's Sammy?«

Als Antwort fing Sammy gefährlich an zu knurren. Er legte die Ohren eng an seinen Kopf, guckte Klara so böse wie möglich an und fletschte die Zähne. »Grrrrrrr. Grrrrrrr.«

Klara kicherte. »Na, du winziger Pups«, lachte sie ihn aus. »Du hörst dich eher an wie eine knarrende Tür. Davor fürchtet sich nicht einmal ein Regenwurm.«

Sie kreischte über ihren eigenen Witz los und kriegte sich gar nicht mehr ein.

Sammy hörte auf zu knurren und schnappte nach Klara.

»Sammy!«, rief Nele empört. »Jetzt ist aber gut.« Sie verstand nicht, was mit Sammy los war. »Sofort in dein Körbchen zurück.«

Sammy legte den Kopf schief und starrte Nele beleidigt an. So streng hatte Nele noch nie mit ihm geredet. Er stellte seine Ohren auf Durchzug und blieb bockig zwischen den beiden Freundinnen sitzen. Dabei ließ er Klara aber nicht aus den Augen.

»Der hört ja gar nicht«, kritisierte Klara. »Hunde brauchen Erziehung. Sonst tanzen sie einem auf dem

Kopf herum. Stell dir vor, der nervige Hund von meiner Tante klaut sogar die Wurstbrote vom Esstisch.«

Sie sah Sammy streng an und befahl: »Husch husch, ins Körbchen.«

Sammy widersprach bellend.

Klara machte kurzen Prozess. Sie schnappte Sammy resolut an seinem Fell, um ihn in sein Körbchen zu setzen. Im gleichen Moment begann Sammy zu pinkeln. Die warme Flüssigkeit tropfte direkt auf Klaras Turnschuhe.

»Ihhhhhhhhh!«, kreischte Klara los. Sie ließ Sammy erschreckt fallen.

»Du altes Ferkel.«

Großtante Adelheid trat zu Tode erschrocken auf die Bremse. Gut, dass die beiden Mädchen angeschnallt waren. Sammy rutschte auf den Autoboden. Er winselte ängstlich.

Großtante Adelheid fuhr in eine Parkbucht und hielt an. »Was um Himmels Willen ist passiert?«, fragte sie besorgt.

»Dieser blöde Hund hat auf meine neuen Turnschuhe gepinkelt«, heulte Klara los. »Die waren total teuer.« Sie schlüpfte aus den Schuhen heraus und hielt sie anklagend hoch.

Tatsächlich. Auf den blütenweißen Turnschuhen waren quietschrosa Blümchen aufgedruckt. Ähhhhm – *fast* blütenweiß. Denn zwischendrin konnte man deutlich gelbe Flecken erkennen. Sie stammten eindeutig von Sammy.

»Klara, das tut mir so leid«, stammelte Nele betroffen. »Das hat Sammy noch nie gemacht. Ganz ehrlich. Eigentlich ist er total brav. Er hat Tante Adelheid sogar schon ihre Hausschuhe gebracht.«

Um Großtante Adelheids Mund zuckte es. Vielleicht überlegte sie kurz, ob sie ergänzen sollte, dass die Hausschuhe ziemlich nass zerkaut bei ihr angekommen waren. Aber glücklicherweise nickte sie nur. »Stimmt.«

Nele lächelte sie dankbar an.

»So ein bisschen Hundepipi ist kein Beinbruch, Klara«, sagte Großtante Adelheid bestimmt. »Du kannst wirklich aufhören zu weinen. Auf meinem vorletzten Ausflug in den Urwald hat mir ein netter Medizinmann ein echtes Wundermittel geschenkt. Damit kriegt man sogar Stinktierpipi aus Wollpullover heraus.« Sie reichte Klara ein

Taschentuch, mit dem sie ihre Tränen trocknen konnte. Lautstark trompetete Klara hinein. Sammy schreckte alarmiert hoch und starrte sie an.

»Dein Hund kann mich nicht leiden«, sagte Klara weinerlich. »Der glotzt so böse wie der Wolf vom Rotkäppchen.«

Das wollte Nele nicht glauben. Schließlich war Klara ihre beste Freundin.

»Er muss sich bestimmt erst an dich gewöhnen«, sagte sie und kraulte Sammy liebevoll hinter den Ohren. »Auf der ganzen Welt ist Sammy der liebste aller Hunde. Außer vielleicht Otto.«

Klara guckte alarmiert. »Otto?«, rief sie. »Habt ihr noch mehr Hunde zu Hause?«

Nele schüttelte den Kopf. »Quatsch. Otto ist der Hund von Tanne und er ist der beste Freund von Sammy. So wie wir beide.« Sie nahm vertrauensvoll Klaras Hand.

Klara gab keine Antwort. Aber sicherheitshalber hielt sie ihre nackten Füße so weit wie möglich von Sammys Maul entfernt. Man konnte ja nie wissen.

In der Burg warteten bereits Tanne und Lukas gespannt wie Flitzebogen auf Klara. Denn das war Neles Überraschung!

Weil das Wetter so schön sonnig war, hatten sie im Burghof Gartenstühle und einen Tisch aufgebaut und Mama hatte ein orangefarbenes Bettlaken geopfert, auf dem stand in riesigen Buchstaben: Juchuh! Klara!

Neles Lieblingskuchen stand bereits auf dem Tisch: *Kalter Hund.* Das war ein super leckerer Kekskuchen mit ganz viel Schokolade. Und Herr Winter hatte Tanne und Lukas erlaubt, die alte Ritterrüstung aus dem Rittersaal aufzustellen. Der Ritter war schon ein wenig verrostet, sah aber immer noch sehr zünftig aus. Tanne und Lukas starrten Klara unverhohlen an, als sie aus dem Auto stieg.

Tanne guckte erstaunt auf Klaras nackte Füße. »Läufst du immer barfuß?«, fragte sie verwundert.

Klara schüttelte wortlos den Kopf.

»Sammy hat auf ihre Turnschuhe gepieselt«, erklärte Nele.

»Vor Freude?«, fragte Lukas interessiert.

»Eher nicht«, fauchte Klara. Der Gedanke daran machte sie gleich wieder sauer. »Der doofe Hund kann mich nicht leiden.«

Nele schüttelte heftig den Kopf. »Das stimmt auf keinen Fall.« Sie machte ein ganz unglückliches Gesicht.

Tanne kam Nele zu Hilfe. »Der Sammy ist ja fast noch ein Baby. Er hat sich bestimmt vor Freude in die Hose gemacht.«

Alle lachten, außer Klara.

Otto und Sammy bellten begeistert, als ob sie Tanne recht geben wollten, und Sammy wedelte zum ersten Mal, seit Klara angekommen war, munter mit seinem Schwanz.

»Na, das hört sich ja schon wieder sehr fröhlich an«, rief Großtante Adelheid und brachte frischen Saft in einer großen Karaffe.

Tanne hatte sich mit Otto extra eine kleine Willkommensshow ausgedacht.

Sie trainierte fast jeden Tag mit ihrem schlauen Hund, und er konnte mittlerweile ziemlich coole Kunststücke. Zum Beispiel auf Zuruf Korken von leeren Flaschen apportieren und mit der Pfote bis fünf zählen. Dummerweise interessierte sich Otto ausgerechnet heute mehr für Klaras Füße als für Tannes Regieanweisungen. Selbst die leckeren Hundekekse, die er zur Belohnung kriegte, verschmähte er. Schließlich gab Tanne auf. »Du hast mich voll blamiert, Otto«, sagte sie entnervt und verstaute die Hundekekse in ihrer Jackentasche.

»Vielleicht musst du dir erst deine Füße waschen, Klara«, rief Lukas. »Otto ist völlig begeistert von dir. Du riechst bestimmt lecker nach Sammy.«

Klara verzog das Gesicht. »Ist ja eklig«, sagte sie entsetzt. Sie hatte die Nase von Hunden gestrichen voll.

Eine Weile sagte niemand ein Wort.

Nele stocherte in ihrem kalten Hund herum und überlegte verzweifelt, wie sie die Stimmung herumreißen konnte.

Tanne nuckelte an ihrem Strohhalm und Lukas starrte Löcher in die grüne Tischdecke.

Nele war wütend und traurig zugleich. Wütend auf Sammy,

dass er Klara so unfreundlich empfangen hatte. Und traurig, weil Klara sich die Sache mit Sammy und ihren Turnschuhen so zu Herzen nahm, dass sie gar keinen Spaß mit ihren Freunden hatte.

Aber so angestrengt Nele auch nachdachte. Ihr fiel einfach nichts Lustiges ein. Selbst Tanne sagte keinen Pieps mehr, und die Blicke, die sie Klara heimlich zuwarf, waren nicht besonders freundlich.

Nur Otto und Sammy tollten über die Kaninchenwiese und waren bester Laune.

Nele seufzte tief. Sie machte sich plötzlich große Sorgen, dass Tanne und Lukas einen falschen Eindruck von Klara bekamen. Normalerweise war ihre Freundin nämlich total lustig und gar nicht zickig.

Nele erschrak. Welches Wort hatte sie gerade gedacht? Zickig? Aber es stimmte leider. Klara war zickig. Jedenfalls gerade jetzt.

»Weißt du eigentlich über unser Burggespenst Graf Kuckuck Bescheid?«, fragte Lukas und brach damit endlich das lange Schweigen.

Klara schüttelte überrascht den Kopf. »Gespenster? Hier auf der Burg? Davon hat mir Nele gar nichts erzählt.«

Lukas nickte eifrig. »Aber hallo! Der alte Kuckuck hat es echt drauf. Der ist ein richtig gefährliches Gespenst. Unser Direktor Herr Zucker hat sogar ein super dickes Buch über ihn geschrieben, weil er so besonders unheimlich ist.«

Er quatschte munter weiter und überschüttete Klara mit den gruseligsten Geschichten über Graf Kuckuck, die ihm einfielen.

Nele seufzte erleichtert auf. Lukas konnte wirklich süß sein.

»…und wenn Graf Kuckuck dir nachts über den Weg läuft und dich mit seinen glühenden Augen anschaut, dann musst du ganz schnell ›zum Kuckuck mit dir‹ rufen, sonst wirst du selber ein Gespenst«, endete er.

Klara war ganz blass geworden. »Ich hasse Geister«, sagte sie heiser. Sie guckte Nele vorwurfsvoll an. »Hast du mir extra nichts von diesem Kuckuck erzählt?«

Nele machte ein verdattertes Gesicht. »Mir ist Graf Kuckuck piepegal, wenn du es genau wissen willst«, sagte sie. »Ich glaube nicht an Geister.«

So langsam wusste sie nicht mehr weiter. Die Stimmung war dahin und der Tag gelaufen, bevor er richtig angefangen hat. Ohne dass er es wollte, hatte Lukas mit seinen Gespensterstorys über das Burggespenst Graf Kuckuck dazu beigetragen, dass Klara noch schlechtere Laune bekommen hatte.

Nele sah es Tanne und Lukas deutlich an. Auch sie hielten Klara für eine echte Zicke.

»Ich muss Papa noch beim Stallausmisten helfen«, verkündete Lukas plötzlich und sprang auf.

»Ich fahre mit Mama in die Metro zum Einkaufen«, sagte Tanne gleich darauf.

»Tut mir leid, dass ich nicht länger bleiben kann«, riefen sie im Chor. »Bis bald mal.«

Die zwei machten sich eilig vom Acker und ließen Nele allein mit Klara. Selbst der köstliche *Kalte Hund* blieb bis auf ein paar Krümel unangerührt.

Wie doof war das denn!

»Soll ich dir jetzt unsere Burg zeigen?«, fragte Nele zaghaft. »Am besten du ziehst ein paar alte Schlappen von mir an. Es ist ziemlich staubig.«

Klara nickte. »Von mir aus.« Sie schlurfte hinter Nele her.

War es wirklich möglich, dass Klara ernsthaft Angst vor Gespenstern hatte? Denn sie hatte gar keine Lust, die riesigen Spinnweben im Kellerverlies zu bewundern, die Nele so supertoll fand.

Und warum fand es Klara nicht genauso witzig wie Nele, sich über den Brunnenrand zu lehnen und in den tiefen Hofbrunnen zu spucken?

Auch auf die Burgzinnen zu klettern, traute sie sich nicht. »Hier ist ja gar kein richtiges Geländer«, jammerte sie. »Das ist mir viel zu gefährlich. Und außerdem habe ich Höhenangst.«

Selbst Plemplem, der momentan im Balkonzimmer wohnte, wollte Klara lieber nicht kennenlernen.

»Ich finde Papageien echt blöd«, erklärte sie. »Die nerven einen mit ihrem Gekreische zu Tode.«

Komisch. Früher hatte Nele nie bemerkt, dass Klara zimperlich war. Dafür redete sie jetzt ständig von ihrem Reiterhof. Nele erwischte sich bei dem schrecklichen Gedanken, dass sich Klara mit ihrer Erzfeindin Josefine, die total pferdebesessen war, super verstehen würde. Jedenfalls besser als mit Tanne, Lukas und Sammy.

Als endlich Abend war und Nele mit Klara in dem großen Bett lag, das Papa extra für sie zum Geburtstag gebaut hatte, war Nele total kaputt.

Tausend Gedanken schossen ihr durch den Kopf. An allem mäkelte Klara herum, sogar an ihren bunt getupften Zimmerwänden. Das konnte ja heiter werden.

Nele konnte sich nicht erinnern, wann sie einmal so enttäuscht gewesen war.

Sammys Hundekörbchen stand heute zum ersten Mal vor der Tür, weil Klara auf keinen Fall mit Sammy in einem Zimmer schlafen wollte. Obwohl Klara herumgetönt hatte, dass sie kein Auge zumachen könne aus Furcht vor Geistern, fiel sie sogleich in einen Tiefschlaf. Schließlich fing sie sogar an zu schnarchen. Zusammen mit Sammys vorwurfsvollem Gewinsel vor der Tür war das wirklich eine unerträgliche Katzenmusik.

Entnervt schnappte sich Nele die kratzige Wolldecke und ihr Kuschelkissen und zog auf den Flur zu Sammy.

»Hallo, mein Süßer«, sagte sie. Sie hatte plötzlich einen dicken Kloß im Hals. Als ob sie jeden Moment losheulen müsste. »Ich hab dich ganz doll lieb. Schlaf gut.« Sie gab ihm einen zärtlichen Kuss auf sein Fell und kraulte ihn zwischen den Ohren.

Sammy seufzte vor Freude tief auf und leckte Nele die Hand.

Mit ihrem Kopf im Hundekorb und dem glücklichen Sammy auf ihren Füßen fand auch Nele endlich in einen wirren Traum.

Das dritte Kapitel

zeigt, dass sich Eltern mehr Sorgen machen, als sie
zugeben ✧ beweist, dass Nele sich nicht so schnell unter-
kriegen lässt ✧ macht Großtante Adelheid fast zu einer
Heldin ✧ und lässt Plemplem zur Höchstform auflaufen
✧ sodass Nele wieder einmal kapiert

Plemplem ist total cool

Nele wachte auf, weil Sammy ihr mit seiner Zunge gewissenhaft das Gesicht ableckte. »Ihhh, du Ferkel«, kreischte
sie. »Ich kann mich selber waschen.«

Sie guckte auf ihre Armbanduhr. Hoppla! Es war ja
schon nach zehn.

Sie streckte sich ausgiebig. Ihre Knochen knarzten
wie die Rüstung vom alten Ritter. In einem Hundekorb
zu schlafen, war nicht wirklich bequem. Dafür musste
man vermutlich ein Hund sein. Trotzdem hatte ihr das
Hundebett mit Sammy als Wärmflasche viel besser gefallen, als mit der schnarchenden Klara die Matratze zu
teilen.

Als Nele durch den Türspalt in ihr Zimmer lugte, stellte sie erstaunt fest, dass ihre Freundin noch tief und fest schlief. Also, einen besonders großen Schrecken hatte ihr Graf Kuckuck anscheinend nicht eingejagt.

In diesem Moment wachte Klara auf und nieste dreimal hinter einander.

»Gesundheit!«, rief Nele fröhlich. »Hast du gut geschlafen?«

Klara schüttelte den Kopf. »Kein Auge habe ich zugemacht«, sagte sie leidend.

»So ein Quatsch«, widersprach Nele empört. »Du hast die ganze Nacht so laut geratzt, dass ich zu Sammy ins Hundekörbchen umgezogen bin.«

Klara blinzelte überrascht. »Ehrlich?«, sagte sie ein wenig kleinlaut. »Hab ich gar nicht mitgekriegt. Das mit dem Schnarchen kommt von dem vielen Staub hier. Ist ja eigentlich eine Ruine und keine richtige Wohnung.« Sie verdrückte sich eilig ins Badezimmer.

Eine halbe Stunde später saßen sie in der Küche und löffelten schweigend Müsli.

»Schön, dass du da bist, Klara«, strahlte Frau Winter. »Nele hatte eine furchtbare Sehnsucht nach dir. Sie war so aufgeregt, dass sie uns allen total auf die Nerven gegangen ist.« Sie strich Nele liebevoll über den Kopf.

»Habt ihr schon Pläne für den Tag?«, fragte Herr Winter. »Ich habe das kleine Paddelboot aufgepumpt. Wenn Lukas und Tanne vorbeikommen, könnt ihr es zu viert zum Waldsee schleppen.«

Aber die beiden Freunde ließen sich nicht blicken. Und Klara wollte ohnehin nicht im See schwimmen gehen, wegen der vielen Stechmücken, die gerade unterwegs waren.

»Schade, dass du kein Pferd hast, Nele«, sagte sie bedauernd.

»Warum hast du dir denn kein Pferd zum Geburtstag gewünscht? Einen Hund hat jeder. Ein süßes Pony hätte hier super Platz. Ich bin es gewohnt, jeden Tag im Sattel zu sitzen.«

Nele schnaubte. »Im Stall gibt's dafür Pferdefliegen«, antwortete sie schroff. »Ich war mit Großtante Adelheid auch schon mal zwei Wochen auf einem Reiterhof. So viele Bisse wie dort hatte ich noch nie.«

Klara zuckte mit den Achseln. »Ansichtssache!«, sagte sie. Sie holte ein dickes Buch aus ihrer Tasche. Es hatte fast vierhundert Seiten und hieß *Die Ponyprinzessin*. Mit diesem Schmöker verzog sie sich in Neles Zimmer, machte es sich auf ihrem Bett gemütlich und las ohne Pause bis zum Mittagessen.

Gleich nach dem Mittagessen las sie weiter bis zum Abendbrot und danach legte sie sich ohne Zähneputzen ins Bett, weil sie unbedingt wissen wollte, wie die Geschichte ausging. Aber noch bevor sie das letzte Kapitel verschlungen hatte, war sie leider eingeschlafen und so las sie den Schluss beim Frühstück am nächsten Morgen. Danach begann sie das Buch von vorne.

»Du bist ja eine echte Leseratte geworden, Klara«, lobte sie Frau Winter. »Finde ich richtig toll. Aber warum nimmst du das Buch denn nicht mit zum Waldsee? Da

kannst du zwischendurch mit Nele eine Runde schwimmen. Tanne und Lukas sind bestimmt auch dort.«

Klara schaute kaum von ihrem Buch hoch. »Schwimmen mag ich aber nicht«, antwortete sie. »Dafür reite ich super gerne.« Sie seufzte. »Ich vermisse unseren Ponyhof ganz doll.« Sie vertiefte sich wieder in ihre Geschichte.

Frau Winter runzelte die Stirn und wechselte einen besorgten Blick mit ihrem Mann.

»Ich finde Pferdebücher ziemlich bescheuert«, sagte Nele ruppig und stand auf. »Wenn, dann lese ich was über Hunde.«

Sie schlich sich in Papas Büro und rief bei Tanne an. Von Tannes Mama erfuhr sie, dass diese mit Lukas zum Waldsee geradelt war.

Ohne bei Nele vorbeizuschauen! Das hatten die beiden noch nie gemacht. Wütend rannte Nele hinaus auf den Hof und schnappte sich Sammy. Irgendwie platzte ihr gerade fast der Kragen. Ohne Klara oder ihren Eltern Bescheid zu sagen, schwang sie sich auf ihr Fahrrad und machte sich auf die Suche nach ihren Freunden.

Am Waldsee war es knüppelvoll. Sammy bellte begeistert und stürzte sich ins Wasser. Er schwamm für sein Leben gerne und war mindestens so wendig wie ein Fisch.

Nele hielt nach Tanne und Lukas Ausschau. Aber die Erste, die sie entdeckte, war ausgerechnet ihre Feindin Josefine.

Sie hatte einen richtigen Bikini an und spielte Wasserball mit Florian und Basti. Na also. Selbst diese Pferdetussi ging bei so einem heißen Wetter schwimmen. Nur ihre Freundin Klara hockte den ganzen Tag in der Burg herum.

»Kleine Abkühlung?« Lukas tauchte strahlend vor ihr auf. Er kam gerade aus dem Wasser und schüttelte sich wie ein nasser Pudel.

»Ihhhhh«, kreischte Nele begeistert. »Du spinnst ja wohl.« Sie sprang zur Seite.

»Das Wasser ist super. Schwimmen wir um die Wette?«, fragte Lukas.

Nele schüttelte den Kopf. »Ich habe keine Badesachen mit. Ich wollte nur mal gucken, wo ihr seid, ihr treulosen Tomaten.«

Lukas grinste schuldbewusst. »Wir haben gedacht, du möchtest lieber mit Klara alleine sein«, druckste er herum.

Nele runzelte die Stirn. »Lügner«, sagte sie streng. »Du kannst sie nicht leiden.«

Lukas wurde rot. »Ich kenn sie ja gar nicht«, eierte er weiter.

»Nele!« Tanne rannte herbei. Sie hatte schon ein ganz rotes Gesicht von der Sonne und klitschnasse Haare. »Wo ist Klara?« Sie schaute sich suchend um.

»Zu Hause«, erwiderte Nele knapp.

Tanne machte große Augen. »Habt ihr euch gestritten?«, fragte sie geradeheraus.

Nele schüttelte den Kopf. »Nö, ich bin einfach abgehauen. Sie liest die ganze Zeit so einen blöden Pferderoman und hat keine Lust auf Schwimmen. Und schnarchen tut sie auch. Ich schlafe bei Sammy im Hundekorb.«

Tanne und Lukas guckten betroffen. Nele kaute auf ihrer Unterlippe herum.

Eine Weile sagte keiner der drei ein Wort.

»Ist ja doof«, sagte Tanne schließlich.

Nele seufzte tief. »Ziemlich«, sagte sie.

Tanne nahm tröstend ihre Hand. »Bleib doch noch hier. Du kannst meinen zweiten Badeanzug anziehen.«

Nele guckte begehrlich auf das Wasser und die tobenden Kinder. »Ich weiß nicht«, sagte sie unschlüssig.

»Klara liest sowieso«, beruhigte Lukas sie. »Da störst du sie nur.«

Bis zum Nachmittag jagte Nele mit Tanne und Lukas durchs Wasser und sie kreischten sich die Seele aus dem Leib. Sie spielten Ball mit Sammy, und Otto konnte seine Kunststückchen plötzlich wieder 1A. Der halbe Waldsee klatschte Beifall und ein älteres Ehepaar spendierte Otto sogar ein richtiges Würstchen von der Würstchenbude.

Zum Schluss gab es noch ein Riesentheater, weil Sammy die volle Tüte mit den Hundekeksen aus Tannes Rucksack stibitzte, als gerade niemand hinschaute, und sich die Beute mit seinem Kumpel Otto brüderlich teilte.

»Seit wann ist Josefine eigentlich mit Basti und Florian befreundet?«, fragte Nele, als sie sich mit Tanne zusammen hinter einem Busch umzog.

Sie wusste, dass Tanne Florian besonders gut leiden konnte. Weil diese für ihn in der Mathearbeit geschummelt hatte, war sie sogar richtig in Schwierigkeiten geraten und musste die Arbeit nachschreiben. Seitdem schuldete er ihr immer noch ein Eis.

»Keine Ahnung, was das Pferdegesicht den Jungs für Lügengeschichten aufgetischt hat«, sagte Tanne schnippisch. »Ist mir aber schnurz.« Aber so eingeschnappt wie Tanne guckte, war es ihr alles andere als egal.

Nele nahm sich vor, Florian beim nächsten Mal einfach rotzfrech an seine Eisschulden zu erinnern. Schummelschulden waren schließlich Ehrensache.

»Kommt ihr morgen in der Burg vorbei?«, bettelte Nele zum Abschied. »Bitte, bitte. Nur ganz kurz.« Sie rubbelte Sammy mit Tannes Handtuch trocken, bis er ganz zerzaust aussah.

»Na gut«, antwortete Lukas. »Aber wenn deine langweilige Klara wieder nicht schwimmen will, gehst du alleine. Vielleicht hat sie sich ja heimlich mit Graf Kuckuck angefreundet und sie zicken sich gegenseitig an.« Er grinste breit und klopfte Nele auf die Schulter.

Als Nele auf den Burghof radelte, wurde ihr ganz schummrig zumute. Sie hatte nämlich plötzlich ein höllisch schlechtes Gewissen. Hoffentlich waren ihre Eltern nicht allzu sauer.

Wie ein begossener Pudel schlich sie sich in die Burg.

Klara saß mit Herrn und Frau Winter in der Küche und mampfte gut gelaunt Windbeutel.

Zu Neles großer Überraschung guckte niemand böse, als sie fast unhörbar *Hallo zusammen* flüsterte. Im Gegenteil.

Mama lächelte sie gar höchst freundlich an. »Du kommst gerade rechtzeitig, Nele«, rief sie. »Wir haben einen Windbeutel für dich aufgehoben.«

Sie zeigte auf einen Teller. »Kakao ist auch noch da.«

Erleichtert ließ sich Nele auf einen leeren Stuhl plumpsen. »Tut mir wirklich leid,« sagte sie hastig und stach mit der Gabel so heftig in den Windbeutel, dass der Puderzucker herumspritzte. »Ich war am Waldsee und habe wohl vergessen, Bescheid zu sagen.«

Vater Winter zwinkerte ihr zu. »Das kann schon mal

passieren in der Eile. Mama hat mit Tannes Mutter telefoniert. Wir konnten uns also denken, wo du bist.«

Im gleichen Augenblick erschien Großtante Adelheid in der Tür. Auf ihrer Schulter saß der Papagei Plemplem. »Darf ich vorstellen«, sagte sie. »Plemplem – das ist Klara. Klara – das ist unser Burgherr Plemplem.« Sie verbeugte sich leicht.

Plemplem rührte sich genauso wenig wie eine Wachsfigur. Er hielt hoheitsvoll sein Köpfchen gerade und blinzelte Klara aus seinen Knopfaugen neugierig an.

Frau Winter hatte auf dem Markt extra frische Walnüsse für ihn gekauft. Die stellte sie nun in einer Schale auf den Tisch.

Großtante Adelheid setzte sich direkt neben Klara auf die Küchenbank.

Sofort begann sich Nele Sorgen zu machen, dass er Klara erschrecken könnte und sie wieder losheulen würde.

Aber Plemplem zeigte sich für alle überraschend von seiner charmantesten Seite. Er blinzelte Klara ganz verliebt zu, schenkte ihr sogar eine heiß geliebte Walnuss und kreischte ohne Unterlass: *Süßsüßsüß!*

»Ist der putzig!«, rief Klara hin und weg. »Bist du ein

lieber Vogel.« Ohne die geringste Angst strich sie ihm über seinen Kopf.

Plemplem gurrte wie ein Täubchen und seufzte herzzerreißend.

Klara war plötzlich total aus dem Häuschen. Sie hatte ja gar nicht gewusst, dass Papageien so reizende Tiere waren. Sie schnappte ihre Kamera und machte ganz viele Fotos von Plemplem und von sich selber mit Selbstauslöser, was sich der eitle Papagei gerne gefallen ließ.

»FotoFotoFoto! Süßßßsüßßßsüßßß!« kreischte er und versuchte, Klara mit seinem Schnabel eine Nuss in den Mund zu schieben.

Klara bekam einen tierischen Lachanfall und Nele plumpsten tausend Steine vom Herzen.

»Ich habe übrigens eine tolle Idee«, sagte Großtante Adelheid. »Habt ihr zwei zusammen mit Tanne und Lukas Lust, auf der Kaninchenwiese zu zelten? Das neue Zelt, das ich für meine nächste Weltreise mit Edward gekauft habe, muss dringend vorher getestet werden.«

Nele sprang begeistert auf. »Jajajaja!« Sie guckte Klara fragend an. »Hast du Lust?«

Klara nickte begeistert. »Klar!!! Mit Zelten kenne ich mich supergut aus. Im Ponyhof zelten wir alle zwei Wochen. Ich kann sogar mit zwei Stöcken Feuer machen. Aber Plemplem muss auch mit.«

Damit war Adelheid nicht so recht einverstanden. »Ich glaube, zum Zelten ist er schon zu alt. Aber auf Besuch kommt er gerne, wenn er an einem Schlückchen Wasser nippen und ein paar Walnüsse knacken darf.«

Bevor die Freundinnen schlafen gingen, um für das Zelten am nächsten Tag fit zu sein, rief Mama Winter Nele noch kurz in ihr Büro.

»Das war gar nicht nett von dir, einfach wegzulaufen, Nele«, sagte sie ernst. »Zuerst habe ich mir echt Sorgen gemacht. Zum Glück hatte Adelheid die Idee, bei Tannes Mutter anzurufen. Ich habe lange mit ihr geredet und sie hat mir verraten, dass euer Nachmittag mit Klara gestern ziemlich schiefgegangen ist. Bist du deshalb durchgebrannt?«

Nele nickte geknickt.

Frau Winter seufzte. »Manchmal ist es nicht leicht, sich

wieder so gerne wie früher zu haben, wenn man sich lange nicht sieht. Aber das kriegt ihr schon hin, da bin ich ganz sicher. Versprich mir aber bitte, dass du nicht wieder so eine Dummheit machst und einfach wegläufst. Papa und mir ist fast das Herz stehen geblieben, als du gar nicht mehr aufgetaucht bist.« Sie umarmte Nele liebevoll.

»Mach ich, Mami«, antwortete Nele erleichtert. »Großes Indianerehrenwort. Und das Zelten wird bestimmt super. Hoffentlich machen Tanne und Lukas auch mit. Ich rufe sie gleich mal an und überrede sie.«

Das vierte Kapitel

beginnt in allerbester Stimmung ✰ beweist, dass Zelte so
gemütlich sein können wie Himmelbetten ✰ zeigt, dass Klara
keine geborene Zicke ist, sondern manchmal total nett ✰
räumt mit dem Vorurteil auf, dass Erwachsene fantasie-
los sind ✰ und endet mit vollem Bauch

Unter dem Sternenhimmel

Das Zelt, das Großtante Adelheid aus ihrer geheimnis-
vollen Weltreise-Kiste hervorzauberte, war wirklich eine
Wucht und hatte die gleichen Farben wie ein schillern-
der Regenbogen. Während die vier Freunde es in Windeseile aufbauten, stoppte Großtante Adelheid die Zeit.
Denn wenn man wie Adelheid und ihr schottischer Mann
Sir Edward um die ganze Welt reiste und sogar im tiefs-
ten Urwald übernachtete, hatte man manchmal keine Zeit
zu verlieren.

»Vier Minuten, zweiunddreißig Sekunden«, rief Adelheid zufrieden. »Nahezu perfekt für meine Zwecke.« Sie

machte ein paar Fotos mit ihrer Kamera. Die wollte sie Edward nach Schottland schicken. Seit Monaten war er in seinem uralten Schloss zusammen mit dem Kammerjäger auf Mäusejagd.

Gleich nach Ferienbeginn hatte er Verstärkung von Neles Bruder David bekommen. Anscheinend fand David es total super in Schottland, denn er hatte erst ein einziges Mal angerufen und Nele eine ziemlich gruselige Ansichtskarte geschickt, auf der das Wassermonster Nessi abgebildet war.

Obwohl das Zelt zusammengefaltet winzig klein aussah, hatten die vier Kinder massig Platz darin. Das Verrückteste war, dass sich während des Aufstellens vier Luftmatratzen im Inneren selbsttätig aufpumpten.

Nele warf sich als Erste darauf. »Ist das gemütlich!«, rief sie entzückt.

Nach drei Nächten im Hundekorb kam ihr die Matratze vor wie ein Himmelbett. Am Zelteingang hing ein pinkfarbener Luftballon.

»Quetsch den Ballon mal kräftig zusammen, Klara«, empfahl Großtante Adelheid.

Klara zögerte. »Aber dann geht er ja kaputt und ich tu mir weh«, widersprach sie.

»Ich trau mich!«, rief Lukas und drückte den Ballon.

»Möpmöpmöp!« quäkte der Ballon lautstark.

»Eine Hupe«, kicherte Tanne. »Das ist ja cool.«

Jetzt probierte es auch Klara. Voller Begeisterung boxte sie immer wieder gegen den Luftballon, bis sich alle die Ohren zuhielten und *Aufhören* brüllten.

»Das ist echt das tollste Zelt, das ich je gesehen habe«, schwärmte Klara. »Schöner als das Zelt von meinem Pony-hof.«

Nele strahlte sie an. Seit heute Morgen war Klara wie ausgewechselt. Sie quatschte wie ein Wasserfall – auch wenn die meisten Geschichten, die sie erzählte, von Ponys handelten, – und nörgelte gar nicht mehr herum.

Mama hatte also recht behalten. Ihre beste Freundin musste sich einfach nur wieder an Nele gewöhnen und umgekehrt. Dass Klara von Pferden so begeistert war wie Nele von Hunden, konnte man ihr wirklich nicht übel nehmen.

Quer über die Kaninchenwiese polterte in diesem Augenblick Frau Winter mit einem Bollerwagen auf vier Rädern herbei. Sie winkte ihnen fröhlich.

Der Bollerwagen war randvoll gefüllt mit Leckereien.

Großtante Adelheid hatte Apfelkuchen gebacken und Schokomuffins und auch die Säfte nicht vergessen. Außerdem hatte Frau Winter Schlafsäcke und Kissen für alle in den Bollerwagen gestopft und eine megagroße Taschenlampe mitgebracht.

»Lecker«, sagte Lukas, nachdem er den Picknickkorb inspiziert und zwei Muffins auf einmal verschlungen hatte. »Was gibt es denn zum Abendbrot? Ich bin jetzt schon hungrig.«

Frau Winter lächelte geheimnisvoll. »Lasst euch einfach überraschen. Die Vorbereitungen dafür dauern etwas länger.«

Sie hatte wirklich nicht zu viel versprochen. Eine Stunde später tauchte Herr Winter mit einer Schubkarre voller Holz und einem Eisenkorb auf.

»Ein Lagerfeuer!«, jubelte Nele. »Papa macht ein Lagerfeuer. Juchuh, juchuh, juchuh!« Sie stampfte vor Freude so wild herum wie Rumpelstilzchen.

Gemeinsam mit Herrn Winter suchten sie die beste Stelle für das Lagerfeuer aus und legten rund um den Eisenkorb einen Steinkreis, damit die Funken aus den Flammen nicht zu weit in der Gegend herumflogen. Es hatte schon ein paar Wochen nicht geregnet und die Wiesen und der Wald waren staubtrocken.

»Einen Eimer Wasser bringe ich euch später noch vorbei«, sagte Herr Winter.

»Sicher ist sicher.« Er wanderte mit seiner leeren Schubkarre zurück in die Burg.

Nele und Klara breiteten eine knallrote Decke auf der Wiese aus und bauten die Schätze auf, die Frau Winter ihnen gebracht hatte.

Diesmal aßen sie alles bis auf den letzten Krümel auf. Ein paar Kaninchen hoppelten neugierig herbei, um zu gucken, wer sich da auf ihrem Spielplatz breit machte.

Normalerweise kriegten sie es nur mit Sammy und Otto zu tun. Aber Otto war heute zu Hause bei Tannes Mama geblieben. Tanne war nicht entgangen, dass Klara Hunde nicht ganz geheuer waren. Ohne seinen Freund hatte Sammy keine Lust auf Kaninchenjagd und so döste er heute brav an einem schattigen Plätzchen vor sich hin und hoffte, dass ein leckerer Happen für ihn abfiel.

»Bin ich vollgefressen«, jammerte Klara und hielt sich den Bauch. Ihr ganzes Gesicht war voller Schokokrümel. Sammy beobachtete sie aufmerksam und ließ seine Zunge heraushängen. Nele hoffte, dass er nicht auf die Idee kam, Klaras Gesicht abzulecken, denn er liebte Schokomuffins über alles, auch wenn diese für einen Hund nicht gesund waren.

»Ich kann auch nicht mehr piepen«, sagte Tanne und streckte sich auf der Decke aus.

»He, wollen wir Waldhimbeeren suchen?«, schlug Lukas vor. »Letztes Jahr habe ich eine ganze Tüte voll gefunden.«

»Bist du verrückt?«, rief Nele. »Ich bin so satt, ich mag kein Blatt, määähhhhh.«

Sie rülpste zum Beweis.

»Ferkel«, kicherte Klara. »Du hörst dich an wie unser Zugpferd Lotte.«

Nele streckte ihr die Zunge raus. »Na und? Mein Magen muss dringend einen Purzelbaum machen, damit sich der Kuchen darin besser verteilt. Sonst kriege ich nachher keinen Bissen mehr hinunter.« Sie robbte ins Zelt. »Ich mache mal ein kleines Nickerchen«, kündigte sie an.

Während Klara und Tanne es sich auf der Decke gemütlich machten, schlug sich Lukas in die Büsche, um noch etwas Nachtisch für später aufzutreiben. –

Eine ganze Weile später wachte Nele von einem lauten Knistern auf.

Eilig krabbelte sie aus dem Zelt hinaus, um zu gucken, was da los war. Herr Winter hatte das Lagerfeuer bereits entfacht und es züngelte munter. Klara war gerade eifrig damit beschäftigt, abwechselnd Gemüsescheiben und Hühnchenfleisch auf lange Spieße zu stecken, während Tanne halbierte Äpfel mit Zimtzucker und Himbeeren verzierte.

»Och, warum habt ihr mich denn nicht aufgeweckt? Ich hätte auch gerne beim Anzünden geholfen«, rief Nele enttäuscht.

»Haben wir probiert. Aber du hast so tief geratzt, dass nur ein Eimer Wasser geholfen hätte. Das hat dein Papa aber nicht erlaubt.« Lukas zeigte grinsend auf den Wasserkanister, den Herr Winter mitgebracht hatte.

Da war etwas Wahres dran. Die letzten Nächte im Hundekorb hatte Nele nicht wirklich tief geschlafen. Das hatte sie heute Nachmittag wohl nachgeholt.

»Nele, du kannst die Kartoffeln mit einer Wurzelbürste abschrubben und in Alufolie einwickeln. Die legen wir

dann in die Glut.« Herr Winter zeigte auf eine Schüssel, in der riesige Kartoffeln lagen.

»Mach ich, Papa!«, sagte Nele eifrig. Gebackene Kartoffeln mit Quark waren ihre Lieblingsspeise.

»Rate mal, wen ich beim Beerensuchen im Wald getroffen habe«, sagte Lukas zu Nele.

Nele kicherte. »Rotkäppchen und den Wolf?«

»Du bist eine echte Hellseherin«, mischte sich Tanne düster ein.

»Häh?« Nele verstand nur Bahnhof.

»Florian und Josefine«, platzte Lukas heraus. »Aber als sie mich gesehen haben, sind sie ganz schnell weggerannt. Ich bin ihnen natürlich hinterher gedüst. Doch komischerweise waren sie auf einmal verschwunden. Wie in Luft aufgelöst.«

Nele machte ein verdutztes Gesicht. »Wieso hängt Florian ausgerechnet mit Josefine zusammen?« Sie sah Tanne an. »Hast du eine Idee?«

Tanne presste die Lippen fest aufeinander. »Keinen blassen Schimmer«, sagte sie schließlich. »Und es ist mir total egal. Sein blödes Eis kann er sich in die Haare schmieren oder die Pferdetussi damit füttern.«

Klara sah interessiert von einem zum anderen. »Um was geht es denn?«, fragte sie. »Ist das diese Josefine, die so gut reiten kann und die keiner mag?«

Niemand antwortete.

»In dem Buch *Die Ponyprinzessin*, das ich gerade lese, steht auch ein Mädchen im Mittelpunkt, das niemand leiden kann und zu dem alle total gemein sind, weil es sich nur für Pferde interessiert. Aber zum Schluss stellt sich heraus, dass sie in Wirklichkeit eine verwunschene Prinzessin ist und sich jede Nacht in ein edles weißes Pferd verwandeln muss, weil sie von einer bösen Zauberin verflucht wurde. Zum Schluss erlöst sie der Junge, der in der Schule neben ihr sitzt, mit einem Kuss.«

Tanne schnaubte wütend. »Josefine verwandelt sich in kein edles Pferd, sondern höchstens in eine falsche Schlange.«

Nele kriegte einen Lachanfall. »Wenn der Florian sie abknutscht, wird bestimmt ein Stinktier aus ihr und keine Prinzessin.«

Lukas schüttelte verwundert den Kopf. »Was redet ihr denn für einen Mist daher, nur weil ich den

Pferdekopf mit Florian im Wald gesehen habe? Mädchen haben echt eine komische Fantasie.«

Herr Winter mischte sich ein. »Können die Herrschaften sich mal bitte um das Essen kümmern, anstatt herumzulästern? Sonst kriegen wir unsere Kartoffeln und Gemüsespieße erst zum Frühstück!«

Gerade als es dunkel wurde, waren die ersten Leckerbissen fertig. Nele hatte schon wieder so einen Hunger, als ob sie seit Tagen nichts gegessen hätte.

Am allerleckersten waren Klaras Gemüsespieße, lobte sie ihre Freundin.

Die schmeckten noch besser als die Kartoffeln mit Mamas selbst gemachtem Kräuterquark. Und natürlich die frischen Himbeeren, die Lukas im Wald gesammelt hatte.

Sammy hatte sich ganz klamm und heimlich auch an das Feuer herangeschlichen und ausgerechnet neben Klara alle viere von sich gestreckt. Nele wunderte sich total. Er benahm sich plötzlich so lieb, als könne er kein Wässerchen trüben.

Nele beobachtete grinsend, wie Klara ihm ihr Hühnerfleisch zusteckte und einen Riesenbissen Kartoffel. Schließlich hielt sie ihm sogar einen Löffel mit Quark vor das Maul und fütterte ihn damit.

Zum Glück war Mama nicht da. Die hätte bestimmt geschimpft. Sammy beim Essen was abzugeben, hatte Mama nämlich streng verboten. Nele fand das nicht so schlimm. Viel wichtiger war, dass sich ihre Freundin und Sammy lieb hatten. So wie Nele Klara lieb hatte. Manchmal brauchte man dafür eben Quark mit Hühnchen.

Während das Feuer langsam herunterbrannte und Papa als Überraschung noch ein paar Marshmallows schmelzen ließ, tauchte der Mond am Himmel auf und die Sterne leuchteten mit ihm um die Wette.

»Guckt mal, Vollmond!«, rief Lukas. »Hoffentlich ist Graf Kuckuck heute nicht unterwegs«, sagte er mit einem dicken Grinsen im Gesicht in Klaras Richtung.

»Spinner!«, antwortete Klara und traf ihn mit einem abgenagten Spieß. »Macht mir überhaupt nichts aus, ich habe ja einen tollen Wachhund bei mir.« Sie zeigte auf Sammy, der seine Schnauze vertrauensvoll auf ihre Beine gelegt hatte.

»Wenn ich sage *Sammy fass*, dann schleppt er die klapprigen Knochen von diesem dummen Geist auf der Stelle davon und verbuddelt sie im Wald.«

Tanne kicherte. »Super Idee. Sammy, der Schrecken der Burggespenster.«

Plötzlich gähnten alle gleichzeitig. So ein Tag auf der Kaninchenwiese mit Grillen und allem Drum und Dran konnte einen ganz schön müde machen. Nele hatte so einen dicken Bauch als hätte sie einen Ballon verschluckt.

Einer nach dem anderen krochen sie ins Zelt. Schließlich lagen alle vier Freunde eingekuschelt in ihre Schlafsäcke in Großtante Adelheids Regenbogen-Höhle.

Herr Winter überprüfte gewissenhaft die restliche Glut im Eisenkorb. »Das kann jetzt noch so vor sich hin glimmern«, entschied er. »Soll ich Sammy mit in die Burg nehmen? Dann nervt er euch nicht.«

Klara steckte ihren Kopf heraus. »Nein, bitte nicht. Sammy schläft bei mir. Der hat so ein schönes weiches Fell.« Sie streckte lockend die Hand nach ihm aus. »Komm Sammylein, heia machen.«

Sammy winselte freudig und wuselte eilig in das Zelt hinein. Dort machte er es sich zwischen Nele und Klara gemütlich. Er kuschelte sich eng an sie und schloss die Augen. Beide Mädchen kraulten ihn so lange, bis er tief und fest schlief und sie selber natürlich auch.

Das fünfte Kapitel

beginnt mitten in der Nacht ✦ reißt vier Freunde
unsanft aus ihrem tiefen Schlummer ✦ beweist, dass
Klara immer noch ein bisschen Zicke ist ✦ lässt einen
tollen Abend komplett ins Wasser fallen ✦ und endet
deshalb mit dem gemeinsamen Vorsatz

Rache ist süß!

Mitten in der Nacht schrak Nele aus dem Schlaf. Sie musste total niesen und es juckte sie überall. Hastig setzte sie sich auf und krabbelte aus ihrem Schlafsack. Sie rieb schlaftrunken über ihre Haut, aber das juckende Gefühl wurde immer schlimmer.

Fast gleichzeitig wachte Klara auf. Anscheinend ging es ihr ähnlich wie Nele.

Sie jammerte laut vor sich hin und begann sich wie verrückt zu kratzen.

Auch Tanne und Lukas meldeten sich niesend. Tanne hörte gar nicht mehr auf. Im Nu herrschte komplettes Chaos in dem dunklen Zelt.

Nele tastete nach der Taschenlampe, aber sie konnte sie nirgends finden. Mist! Bestimmt lag die immer noch draußen im Picknickkorb.

Der Einzige, der immer noch tief und fest schlief, war Sammy. Er seufzte und knurrte im Schlaf leise vor sich hin. Bestimmt war er im Traum gerade wieder auf Kaninchenjagd.

»Sammy!«, kreischte Klara plötzlich. »Sammy hat bestimmt Flöhe«, beschwerte sie sich laut. Sie schlug hektisch auf ihre Arme ein, als ob sie Flöhe totschlagen wolle. »Wir müssen ihn aus dem Zelt schmeißen.«

Sie zerrte hektisch an Sammys Fell. »Aufwachen. Sofort aufwachen«, schrie sie panisch.

»Was quatscht du denn für einen Mist?«, polterte Tanne los. »Kannst du nicht einmal nachdenken, bevor du herumnervst? Du bist eine echte Zicke. Seit wann bekommt man von Flöhen Schnupfen?« Sie kriegte sich gar nicht mehr ein.

»Selber Zicke!«, fauchte Klara zurück. »Ich sage nur die Wahrheit. Hunde haben oft Flöhe. Ganz anders als Pferde. Die sind viel reinlicher.« Sie sprang empört auf und trat in der Dunkelheit versehentlich auf Lukas' Fuß.

»Autsch!«, brüllte Lukas los. »Pass auf, wo du mit deinen Hufen hintrampelst.« Er gab ihr einen wütenden Schubs.

Klara kam ins Trudeln und kippte wie ein Mehlsack auf den schlafenden Sammy. Endlich schlug dieser die Augen auf und fing zu heulen an wie ein Wolf bei Vollmond.

Eine laute Mädchenstimme brüllte von draußen: »Hallihallo! Braucht ihr vielleicht eine kleine Abkühlung?«

Sogleich ergoss sich ein Schwall kaltes Wasser über die Köpfe der Streithähne, ein zweiter folgte gleich hinterher.

Klara kreischte wie wahnsinnig los und schnellte in die Höhe. Sie schüttelte sich hektisch wie ein Zitteraal und hüpfte von einem Bein auf das andere. Dabei traf sie Nele mit ihrem Ellbogen versehentlich an der Nase. Im gleichen Moment purzelte eine verirrte Kaulquappe aus Klaras Schlafanzughose.

Nele jaulte schmerzerfüllt auf. Obwohl es stockduster im Zelt war, hatte sie das Gefühl, jede Menge Sterne zu sehen. »Ich hab Nasenbluten«, zeterte sie.

Das irre Gelächter, das von draußen in das Zelt drang, ließ keinen Zweifel daran, wer da eimerweise

Wasser in das Zeltinnere hineingekippt hatte – Nele erkannte eindeutig die Stimmen von Josefine, Florian und Basti.

»Verräter!«, brüllte sie so laut, dass sich ihre Stimme überschlug. »Jetzt könnt ihr was erleben!« Zusammen mit Lukas wollte sie gerade aus dem Zelt stürmen, um den gemeinen Angreifern eine gewaschene Abreibung zu verpassen, als das Zelt über ihren Köpfen zusammenkrachte. Anscheinend hatten die Übeltäter schnell auch noch die Heringe aus der Erde gezogen. Es gab ein pfeifendes Geräusch, als die Luft aus den Matratzen entwich. Die vier Freunde waren in dem Zelt gefangen.

Der aufgebrachte Sammy bellte sich vergeblich die Seele aus dem Leibe.

Johlend stürzen die Übeltäter davon.

Bis sich Nele und die anderen endlich aus ihrem Zeltkerker befreit hatten, waren Josefine, Florian und Basti längst über alle Berge.

»Ein total fieses Juckpulver-Attentat«, schimpfte Nele immer wieder, als sie zusammen mit Großtante Adelheid in der Küche saßen und heißen Kakao schlürften. Pitschnass waren sie in der Dunkelheit in die Burg zurückgestolpert. Denn Papas tolle Taschenlampe war von den Attentätern vorsichtshalber in dem vollen Wasserkanister versenkt worden. In der Burg angekommen, hatten sie die erschreckte Großtante aus ihrem Tiefschlaf gerissen und ließen sich nun von ihr trösten.

»Das war garantiert mit Niespulver vermischt«, jammerte Klara. Sie hatte ganz rote Augen. Zu allem Überfluss war sie im Finstern über einen spitzen Stein gefallen und hatte sich den kleinen Zeh blutig geratscht. Deshalb bekam sie von Großtante Adelheid gerade ein Pflaster auf die Wunde geklebt. Die anderen drei saßen in dicke

Decken eingewickelt eng aneinander gekuschelt auf der Eckbank und kochten vor Wut.

»Das soll Florian büßen«, sagte Tanne mit geballten Fäusten. Man sah ihr an, wie stinksauer sie war. »Ich habe echt Lust, ihn so richtig ordentlich zu verhauen. Und in Mathe helfe ich ihm nie nie nie wieder.« Sie goss sich Kakao nach.

»Ich bin dabei«, sagte Lukas. »Basti hat auch noch eine Rechnung bei mir offen.«

Er sah Nele an. »Machst du mit? Du kannst doch ein paar Judogriffe.«

Nele zögerte. »Ich weiß nicht. Sie einfach so zu verkloppen, ist irgendwie doof.«

Klara pflichtete ihr bei. »Außerdem kriegt man dabei immer selber was ab.«

Tanne und Lukas guckten enttäuscht. »Na und? Ein paar blaue Flecken riskiere ich«, sagte Tanne. »Ich bin nicht so ein Weichei wie Florian.«

Lukas schlug nachdenklich die Vorderzähne gegen seine Tasse. »Habt ihr denn eine bessere Idee?«

Nele seufzte. »Leider nicht. Jedenfalls brauchen wir einen wirklich guten Plan. Nur welchen?« Sie schaute hilfesuchend in Großtante Adelheids Richtung.

»Ihr müsst sie einfach an ihrer eigenen Nase packen«, sagte diese.

»Also doch ein Boxkampf«, sagte Lukas zufrieden. »Habe ich ja gleich gesagt.«

Großtante Adelheid schüttelte energisch den Kopf. »Nein, eben nicht. Da bin mit Klara ganz einer Meinung. So viele Pflaster, wie ich dann brauche, um euch zu verarzten, habe ich gar nicht im Haus. Kriegt heraus, womit ihr sie so richtig ärgern könnt. Etwas, das die drei nicht so schnell vergessen.«

Lukas runzelte die Stirn. »Aber wie sollen wir das schaffen? Ich rede mit den Verrätern kein einziges Wort mehr.«

Klara begann zu strahlen. »Ah, ich verstehe. Wir müssen sie beobachten und ihnen hinterherschnüffeln, so wie Privatdetektive oder diese Paparazzi, die immer heimlich Fotos machen und sie an die Zeitung verkaufen. Und wenn wir dann alles über sie wissen, ist auch klar, was sie am meisten nervt.«

Tanne nickte anerkennend. »Echt schlau die Idee. Finde ich jetzt auch besser als hauen.«

Lukas war noch nicht ganz überzeugt. »Dauert aber ewig«, wandte er ein.

»Ich würde ihnen gerne sofort eines auf ihre gemeinen Nasen geben.«

Nele fasste sich an ihre geschwollene Nase, die bereits schmerzhaft an Klaras Ellbogen gerochen hatte. Sie war immer noch blutverkrustet. »Dafür schickst du am besten Klara los, die macht das mit links.«

Klara machte ein schuldbewusstes Gesicht. »Tut mir echt leid, Nele. Aber weißt du, wie fies sich das anfühlt, wenn man eine Kaulquappe in der Unterhose hat? Ich habe mich zu Tode erschreckt.« Sie legte entschuldigend ihren Arm um Neles Schulter.

Eine Weile schwiegen alle und dachten nach.

»Ich hätte noch ein Päckchen Niespulver zu Hause«, sagte Lukas schließlich.

»Nee, das ist eine doofe Retourkutsche«, wehrte Nele ab. »Großtante Adelheid hat recht. Wir müssen sie auskundschaften wie eine

Bande.« Sie machte trotz dicker Nase schon wieder ein ziemlich abenteuerlustiges Gesicht.

»Wenn wir eine Bande sind, brauchen wir aber auch einen richtigen Namen!«, sagte Klara aufgeregt.

»Die Schwarzen Rächer!«, rief Tanne spontan uns streckte die Faust in die Höhe.

»Super«, rief Lukas. »Das hört sich gefährlich an. Wer ist dafür?«

Klaras Vorschlag wurde einstimmig angenommen.

Großtante Adelheid kochte schnell noch eine zweite Kanne Schokolade, damit die Bandengründung besiegelt werden konnte.

»Einer für alle, alle für einen!«, sagte Lukas feierlich.

Sie stießen ihre Becher aneinander und sahen sich ernst in die Augen.

»Rache ist süß!«, rief Nele und trank den ersten Schluck.

»Rache ist süß!«, sprachen die anderen ihr nach.

Die Gegenattacke konnte beginnen.

»RacheRacheRache«, schnurrte Plemplem und legte sein Köpfchen zärtlich auf Klaras Schulter.

Anschließend verfrachtete Großtante Adelheid alle Kinder noch für ein paar Stündchen in Neles großes

Bett. Darin hatten sogar vier Schwarze Rächer auf einmal Platz.

»Cool, deine Tante Adelheid«, sagte Klara schon halb im Traum.

»Mhhhhhh«, stimmten Nele, Tanne und Lukas zu.

Echt wahr. Großtante Adelheid war einfach die Allergrößte. Das wusste selbst schon der kleine Sammy, denn er sagte ebenfalls ganz überzeugt: *wuffwuffwuff*, bevor auch er todmüde einschlief.

Nur Plemplem war putzmunter. Er saß auf seiner Schaukel am Fenster und blinzelte unternehmungslustig in den vollen Mond.

»RacheRacheRache!«, kreischte er so lange, bis der Mond sich sicherheitshalber hinter einer dicken Wolke versteckte.

Das sechste Kapitel

beginnt gleich nach dem Frühstück mit einem
verwegenen Plan ✩ macht allen ziemlich viel Arbeit ✩
beweist, dass auch Tanne tierisch sauer werden kann ✩
zeigt Klara von ihrer besten Seite ✩ und endet mit

Viermal Dschungelalarm!

Obwohl die vier Schwarzen Rächer in dieser Nacht nur eine Handvoll Stunden geschlafen hatten, waren sie bereits beim ersten Hahnenschrei putzmunter. Nach einer schlampigen Katzenwäsche und einem eiligen Frühstück stürmten sie los. Schließlich hatten sie jede Menge vor.

Großtante Adelheid steckte ihnen noch schnell ein paar Müsliriegel zu, bevor sie ausschwirrten. Sammy musste heute auf der Burg bleiben. Weil er so klein war, fing er immer gleich an zu bellen, wenn ihm etwas komisch vorkam. Deshalb war er als Spion ziemlich ungeeignet.

Als Erstes mussten sie natürlich herausfinden, wo sich

Josefine, Florian und Basti an diesem sonnigen Ferientag herumtrieben.

»Bestimmt sind sie wieder am Waldsee schwimmen«, vermutete Lukas.

»Glaube ich nicht«, widersprach Klara. »Hat Josefine nicht ein eigenes Pferd?«, fragte sie. Schließlich war sie genauso vernarrt in Pferde wie Neles Erzfeindin und kannte sich aus.

Tanne nickte. »Klar, Melody. Sie ist völlig verrückt nach dem Gaul. Ihre Eltern haben mitten im Obstgarten einen riesigen Stall gebaut, damit sich Melody nicht mit anderen Pferden den Platz teilen muss.«

Klara schüttelte empört den Kopf. »So ein Quatsch. Pferde sind total gesellig und lieben Pferdegesellschaft. Josefine ist wirklich ziemlich komisch. Also, wenn sie einen eigenen Stall hat, muss sie Melody ja auch selber versorgen. Dann ist sie bestimmt zu Hause.«

Nele stimmte ihrer Freundin zu. »Du hast recht. Aber als ich Hundesitter war, habe ich sie auch oft beim Ausreiten im Wald getroffen. Wir müssen uns also beeilen.«

Lukas schwang sich auf sein Rennrad. »Ich radle schnell vor, dann kann ich mich schon auf die Lauer legen. Anschleichen ist sowieso einfacher, wenn wir nicht im Rudel dort auftauchen.« Er strampelte klingelnd davon.

»Hast du auch ein eigenes Tier?«, fragte Tanne, als sie neben Klara und Nele herrannte.

»Nö, leider nicht.« Klara schüttelte betrübt den Kopf. »Meine Eltern meinen, dass wir dafür keine Zeit haben. Sie sind ja beide den ganzen Tag arbeiten. Außerdem ist unsere Wohnung nagelneu, und Tiere machen immer alles kaputt, sagt meine Mama. Ich bin aber fast jeden Tag auf dem Ponyhof reiten, der ist ganz in der Nähe unserer Wohnung. Meine Eltern kommen meistens erst um acht Uhr abends nach Hause. Da ist es in der Wohnung manchmal ganz schön einsam.« Sie machte plötzlich ein ganz tieftrauriges Gesicht.

Tanne guckte entsetzt. »Erst um acht? Da gehe ich manchmal schon ins Bett. Wer kocht dir denn Mittagessen? Oder bist du auf einer Ganztagsschule?«

Klara schüttelte den Kopf. »Ich koche mir selber was. Das klappt echt super.« Sie lächelte stolz. »Meine Pfannkuchen schmecken schon fast so gut wie die von Papa.«

Nele sagte nichts. Aber Klara tat ihr ganz schön leid. Darüber hatte sie in ihren lustigen Bilderbriefen kein

Wort verloren. Bevor Klara mit ihren Eltern in die andere Stadt umgezogen war, hatte ihr Papa den Haushalt geschmissen und mindestens einmal in der Woche für Klara und Nele Pfannkuchen gebacken. Richtig mit in die Luft schleudern und selbst gemachter Erdbeermarmelade.

Nele konnte sich erinnern, dass es immer total lustig mit ihm gewesen war.

»Wenn du einen kleinen Hund hättest, wärst du nicht den ganzen Tag alleine«, sagte Tanne nachdenklich. »Aber du magst ja Hunde eh nicht so«, verbesserte sie sich selber.

Klara wurde rot. »Das stimmt eigentlich nicht«, widersprach sie verlegen. »Ich kannte nur keine. Aber Sammy und Otto habe ich jetzt schon richtig gerne.«

Sie fügte ganz leise hinzu, sodass es nur Nele verstehen konnte: »Vielleicht war ich anfangs auch nur ein bisschen neidisch.«

Außer Atem, weil sie so schnell gerannt waren und dabei auch noch gequatscht hatten, kamen sie vor der Villa an, in der Josefine wohnte. Sie war schneeweiß mit dunkelroten Dachziegeln und vier Balkons.

»Das Haus ist ja riesig!«, sagte Klara. »Darin würde ich auch gerne wohnen.«

»Ich finde meine Burg schöner«, widersprach Nele. »Hier darf man bestimmt nichts schmutzig machen.«

Plötzlich hörte sie den durchdringenden Schrei einer Eule. Hatte die sich in der Tageszeit geirrt? Hoppla. Die Eule kriegte sich ja gar nicht mehr ein.

»He, seid ihr taub oder was?« Lukas kam ungeduldig hinter einem Busch hervorgekrochen. »Habt ihr meinen Schlachtruf nicht gehört?«

Nele begann zu grinsen. »Ach so. Und ich dachte schon, eine Eule hätte einen Nervenzusammenbruch.«

Lukas verdrehte die Augen. »Klara hatte recht«, flüsterte er. »Sie sind alle drei hinten im Stall. Florian und Basti helfen Josefine beim Ausmisten. Ihr müsstet den Pferdekopf mal hören. Sie kommandiert die zwei total herum. Echt peinlich, dass die sich das gefallen lassen.«

Nele bekam ganz große Augen. »Echt? Das muss ich

sehen!« Ohne darauf zu achten, ob sie entdeckt werden könnte, stürmte sie los. Tanne rast hinterher.

Lukas erwischte Nele gerade noch am Arm, bevor sie geradewegs auf den Stall zulief. »Seid ihr verrückt? Ihr müsst euch tarnen. Sonst können wir unsere Rachepläne vergessen.«

Nele blieb wie angewurzelt stehen. »Stimmt ja!« Sie benahm sich gerade wirklich wie eine Anfängerin.

Gebückt pirschten sich die vier Schwarzen Rächer im Schutz einer hohen Hecke an die Rückseite des Stalls heran. Dort gab es ein kleines Fenster. Leider war es so hoch oben, dass man nicht einfach hineinschauen konnte.

Nele machte eine Räuberleiter für Tanne. »Du musst aber genau beschreiben, was du siehst«, befahl sie.

»Ist ja frech«, zischte Tanne bereits nach ein paar Sekunden.

»Nein, das glaube ich jetzt echt nicht. Wie blöd ist das denn?« Sie hampelte wie ein aufgeregtes Fohlen herum, sodass Nele größte Mühe hatte, sie festzuhalten.

»Was gibt es denn?«, fragte Nele gespannt. »Nun sag doch endlich! Komm wir tauschen mal.«

Endlich hopste Tanne wieder herunter. »Ihr glaubt es nicht«, wiederholte sie empört. »Josefine sitzt wie die Prinzessin auf der Erbse auf einem Heuballen und Florian und Basti schuften. Basti fährt mit der Schubkarre Heu und Florian striegelt Melody. Josefine ist wirklich die allerletzte Kuh.«

Nele schüttelte ungläubig den Kopf. »Das muss ich selber sehen.«

Klara schaute sich suchend um. »Da hinten liegt eine umgekippte Bank. Wenn wir die unter das Fenster stellen, können wir alle gleichzeitig gucken.«

Zusammen mit Lukas schleppte sie die Bank eilig heran.

»Eklig«, sagte sie und wischte sich die Hände an ihrer Jeans ab. »Die Bank ist voller Nacktschnecken. Ich hasse die Viecher.«

Gleich darauf standen sie wie die Orgelpfeifen auf der Bank und starrten stumm in den Stall.

»Und auf dem Schulhof tun die immer so, als ob alle Mädchen doof wären«, sagte Lukas schließlich. »Wie kann man sich nur so rumkommandieren lassen? Das ist echt peinlich.«

Klara kicherte. »Ich glaube, die zwei sind in Josefine verliebt. So wie in meinem Buch *Die Ponyprinzessin*.«

Tanne wurde plötzlich puterrot. »Dumm genug ist Florian auf jeden Fall, dass er sich von Josefine einwickeln lässt. Und Basti macht sowieso alles nach, was Florian macht. Schön blöd!« Sie schnaubte wie ein gereiztes Nilpferd.

»Das kann jetzt noch ewig dauern, bis die fertig sind«,

sagte Lukas gelangweilt und hopste von der Bank herunter. Schließlich wohnte er auf einem Bauernhof und wusste, wie viel Arbeit so ein Stall machte. »Wollen wir inzwischen was anderes machen?«

Nele war auch dafür. Sie fand es extrem öde, heimlich beim Stallausmisten zuzuschauen. Sie schubste Tanne mit dem Ellbogen an.

»Wollen wir ein bisschen in der Stadt herumbummeln?«, fragte sie. »Wir könnten Klara unser Eiscafé zeigen.«

Tanne drückte sich immer noch die Nase an der Fensterscheibe platt.

»Jetzt flechten Florian und Josefine diesem hässlichen Pferd auch noch bunte Bänder in die Mähne«, sagte sie und knirschte laut mit den Zähnen. »Bin ich froh, dass ich ihm keine Kunststückchen für seinen Hund beigebracht habe. Dieser Schleimer.«

Klara hüpfte ins Gras und pflückte ein Gänseblümchen. »Also, ich finde Melody total hübsch«, sagte sie. Sie zupfte die Blütenblätter ab. »Sie liebt ihn, sie liebt ihn nicht. Sie liebt ihn, sie liebt ihn nicht.«

Nele verdrehte die Augen. »Hör auf mit dem Mist«,

sagte sie und schnippte Klara das Gänseblümchen aus der Hand.

Kurz entschlossen zerrte Lukas Tanne von der Bank herunter. »Wenn du weiter so Wut schiebst, verlierst du alle deine Nadeln, Tanne«, sagte er warnend. »Mein Papa sagt immer, man soll niemand von der Arbeit abhalten. Komm, ich geb dir zum Trost ein Spaghettieis mit Erdbeersoße aus.«

Nur zögernd folgte Tanne den Schwarzen Rächern. »Ich kann Spaghettieis nicht ausstehen«, grummelte sie.

»Ist doch egal«, sagte Lukas. »Von mir aus auch was anderes. Aber es darf nicht zu teuer sein. Ich spare auf eine neue Klingel für mein Fahrrad.«

Im Eiscafé war wegen des heißen Wetters die Hölle los. Die vier Schwarzen Rächer ergatterten die allerletzten Plätze.

»Viermal Dschungelalarm«, bestellte Nele bei der Kellnerin, nachdem sie die Eiskarte ausgiebig studiert hatten. »Das ist mit Schokostücken, Pistazieneis und ganz viel Nüssen, und man bekommt einen kleinen Plastikaffen dazu«, erklärte sie Klara.

Gerade als sie ihre Eisbecher leer gelöffelt hatten und

Tanne wieder richtig gut gelaunt war, kurvten Josefine, Florian und Basti um die Ecke.

»Das Kleeblatt schon wieder«, stöhnte Nele. »Langsam frage ich mich, wer hier wen verfolgt!«

Das siebte Kapitel

lässt einen Reifen platzen und Tanne beinahe in die Luft gehen ✿ beschert den vier Schwarzen Rächern eine tolle Entdeckung ✿ fordert die Bande ganz schön heraus ✿ aber am Ende des Tages sind sich alle einig

Einer für alle, alle für einen!

In dem Moment, als Josefine mit ihrem Fahrrad bremste, gab es einen lauten Knall. Mit einem deutlichen *pffffffft* entwich die Luft aus ihrem Hinterreifen.

»Hihi«, sagte Tanne. »So ein Pech aber auch.« Sie beobachtete entzückt, wie Josefine ihr Fahrrad genervt auf den Bürgersteig fallen ließ.

»Hallo Josefine«, rief Nele und strahlte sie an wie ein Weihnachtsengel.

»Ich glaube, du bist geplatzt.« Sie gackerte los. »Also, dein Reifen natürlich.«

Erst jetzt bemerkte Josefine die vier Schwarzen Rächer vor ihren riesigen leeren Eisbechern.

»Sag bloß«, zickte Josefine zurück. »Zu Platzen dürfte

wohl eher dein Problem werden, wenn du weiter so viel Eis in dich hineinstopfst. Dein Trikot saß ganz schön wurstig bei unserem letzten Handballspiel.«

Nele bekam schlagartig rote Flecken im Gesicht. Das passierte immer dann, wenn sie sich besonders aufregte. »Geht's noch?«, rief sie aufgebracht. Mehr fiel ihr auf die Schnelle nicht ein.

Josefine antwortete nicht. Dafür umspielte ihren Mund ein ziemlich hässliches Lächeln. Sie drehte sich zu Basti und Florian um, die gerade ein Stück entfernt ihre Fahrräder anschlossen und jammerte im Kleinkinderton los: »Guckt mal, wie gemein. Mein Reifen ist *putt*gegangen. Könnt ihr mir das *büttebütte* kleben? Ich spendiere 'ne Runde Schokoeis.« Sie wedelte hilflos mit ihrer Fahrradpumpe.

»Vielleicht solltest du dir lieber mal dein Gehirn kleben lassen«, fauchte Tanne dazwischen.

Anscheinend hatte Josefine beschlossen, ab sofort auf Durchzug zu schalten. Jedenfalls tat sie so, als wären Tanne und die anderen Luft für sie.

Das machte Tanne schlagartig ungeheuer wütend. »Mir reicht es!«, sagte sie und sprang auf. »Blaue Flecken hin oder her. Trau dich her, du eingebildete Gans.« Sie hob drohend ihre Fäuste in die Luft.

»Huh«, sagte Josefine. »Jetzt fürchte ich mich aber ganz doll.« Sie schleuderte ihren Pferdeschwanz lässig nach hinten. Aber sicherheitshalber ging sie hinter Florian in Deckung, der gerade herbeigeschlendert kam.

»Hallo, Tanne«, sagte Florian verlegen. »Was'n los?«

Tanne stoppte ihren Angriff verunsichert.

»Ist Otto auch hier?«, fragte Florian und sah sich suchend um. »Ich fand seine Kunststückchen am Waldsee so super. Besonders die Aktion mit dem Korken. Schade,

dass unser Dackel nicht so schlau ist. Du könntest echt im Zirkus mit ihm auftreten oder im Fernsehen. Bist du auch zum Eisessen hier? Ist ja toll.«

Er strahlte sie an.

Tanne ließ ihre Fäuste verwirrt sinken. Stattdessen machte sie plötzlich ein so schrecklich belämmertes Gesicht, dass Nele es kaum aushielt, hinzugucken.

»Du Schleimer!«, rief sie aufgebracht. »Lös lieber deine Schummelschulden bei Tanne ein, anstatt so herumzusülzen. Aber nee, dafür hast du ja gar keine Zeit, du musst ja den Stall ausmisten, Pferde striegeln, Fahrräder flicken und Wasser in Zelte kippen. Echt cool deine Ferien!« Sie schnappte Tannes Hand und zog sie einfach mit sich davon.

Lukas hob grinsend den Daumen, als er an Florian vorbei zu seinem Rennrad spazierte. »Na dann. Viel Spaß bei der Arbeit.« Er schwang sich auf seinen Sattel. »Wir treffen uns am Waldsee«, rief er Nele zu. »Ich brauche dringend eine kleine Abkühlung.« Er trat in die Pedale und verschwand.

»Diese Josefine ist ja richtig gemein«, sagte Klara empört. Sie hatte Mühe, mit den beiden Freundinnen Schritt zu halten. Erst als sie um die nächste Kurve gebogen waren, und das Eiscafé außer Sicht lag, verlangsamte Nele ihr Tempo.

»Was bilden die sich ein?«, rief sie empört. »Ich verstehe echt nicht, wieso du diese Pfeife Florian magst«, sagte sie vorwurfsvoll zu Tanne.

»Tue ich ja nicht mehr«, sagte Tanne kleinlaut. »Aber was Florian über Otto gesagt hat, war schon irgendwie nett.«

Nele antwortete nicht. Aber man sah ihrem Gesicht deutlich an, dass sie da ganz anderer Meinung war als Tanne. Wortkarg wanderten die drei Richtung See.

»Wollen wir Otto und Sammy holen?«, schlug Klara schließlich vor. »Denen ist bestimmt langweilig ohne uns.«

Nele nickte. »Gute Idee. Wir brauchen sowieso noch unsere Badesachen.«

Glücklicherweise hatte Großtante Adelheid gerade frische Muffins gebacken. Die vier Schwarzen Rächer konnten nach dem Beinahe-Zusammenstoß mit dem Kleeblatt wirklich eine Stärkung gebrauchen, das sah Adelheid sofort ein. Sie packte die Muffins in einen großen Picknickkorb und legte ein buntes Küchentuch über die ofenwarmen Kuchen.

»Fast hätte Tanne diese doofe Josefine doch noch verhauen«, erzählte Nele vergnügt. »Aber dann kamen ihr ein paar Gedanken dazwischen.« Sie grinste.

Großtante Adelheid nickte. »Ganz meine Meinung. Bevor man jemandem wehtut, sollte man wirklich seinen Kopf einschalten. Gut gemacht, Tanne.«

Sie stellte den Picknickkorb auf den Tisch. »Wollt ihr auch noch Eis?«

Die drei Kinder schüttelten heftig den Kopf. »Nein, vielen Dank«, sagte Nele. »Einmal Dschungelalarm am Tag ist wirklich genug.«

Sie rannten mit Sammy um die Wette zu Tannes Mama. Otto saß vor ihrem Hofladen und schnappte müde nach den lästigen Fliegen, die um seinen Kopf kreisten.

Als Sammy plötzlich vor ihm auftauchte, kriegte er sich vor Freude gar nicht mehr ein und bellte sich beinahe die Seele aus dem Leibe. Der neue Briefträger, der gerade angeradelt kam, erschreckte sich so sehr darüber, dass er in die Stachelbeeren kippte.

»Otto tut nichts«, rief Tanne vergnügt und hielt dem Briefträger hilfsbereit seine Tasche. »Er ist gerade nur furchtbar gut gelaunt.«

Dem Briefträger stand der Schrecken noch ins Gesicht geschrieben, als Tannes Mama herbeigelaufen kam. Zur Entschädigung schenkte sie ihm ein Glas selbst gemachten Honig und Otto musste zur Entschuldigung Pfötchen geben.

Tanne staubte noch eine Flasche Rhabarbersaft ab und dann sausten sie endlich zum Waldsee.

»Das Kleeblatt wird sich hier heute bestimmt nicht mehr blicken lassen«, sagte Lukas zufrieden. »Die haben ihre Lektion erst einmal gelernt.« Er hatte seine neue Luftmatratze von zu Hause mitgebracht, ein riesiges

knallgrünes Krokodil mit aufgesperrtem Maul. Darauf tobten die vier Schwarzen Rächer mit Sammy und Otto so wild herum, bis Nele meinte, den halben Waldsee verschluckt zu haben.

»Boah, tut mir mein Bauch weh«, jammerte sie und streckte alle viere von sich.

»Guckt mal. Der ist so aufgebläht wie ein Fesselballon.« Sie drückte anklagend mit ihrem Zeigefinger auf den Nabel.

Klara kicherte. »Vermutlich weht dich der nächste Windstoß in die Wolken.«

Nele schmollte. »Gar nicht witzig. Ein bisschen schlecht ist mir auch.«

Lukas kniete sich neben Nele auf die Badematte und betrachtete sie kritisch.

»Ich glaube nicht, dass du einen Ballon in deinem Bauch hast. Eher sieht das aus wie Wackersteine. Wie viele Muffins hast du eigentlich gegessen? Ich habe nur zwei winzige abbekommen.«

Nele runzelte die Stirn. »Sei nicht gemein. Lass mich mal überlegen ...«

Sie zählte in sich hinein. »Einen, zwei, noch einen ...«

Tanne unterbrach sie. »Sechs Stück. Ich weiß es ganz genau. Neuer Rekord.«

Lukas pfiff anerkennend. »Besser du gehst nicht mehr ins Wasser. Sonst versinkst du.«

Nele warf Lukas ihren nassen Badeanzug an den Kopf. »Bist du doof. Josefine ist schuld. Wenn ich mich ganz doll ärgere, muss ich ganz viel essen. Großtante Adelheid hat gesagt, dass machen die wilden Tiere genauso. Damit sie wieder Kraft kriegen.« Sie rappelte sich stöhnend hoch. »Ich muss dringend ein bisschen herumhopsen, damit die Muffins tiefer sacken. Wollen wir ins Birkenwäldchen gehen? Papa hat dort ein paar Baby-Eichhörnchen entdeckt, als er mit Sammy spazieren war. Die sind bestimmt total süß!«

Begeistert stürmten die Schwarzen Rächer los. Besonders Klara war aufgeregt. Sie hatte tatsächlich noch nie ein Eichhörnchen aus der Nähe gesehen.

»Weißt du wirklich nicht genauer, wo dein Papa die Eichhörnchen gesehen hat?«, fragte Lukas eine halbe Stunde später. Mittlerweile hatten sie beinahe jeden Baum abgeklappert, leider ohne Erfolg.

Nele schüttelte betrübt den Kopf. »Ich war mir ganz

sicher, dass es hier bei dem Steinhaufen war, direkt neben der Ameisenstraße.« Sie starrte auf einen moosbewachsenen Steinhügel.

Tanne stöhnte. »Das ist schon der vierte oder fünfte Haufen und Ameisenstraßen gibt es hier im Birkenwald mehr als Autobahnen. Meine Mama sagt, Ameisen lieben Birkensaft.«

Plötzlich bellte Otto laut und ungeduldig. Ein winziges weißes Kaninchen huschte mit angelegten Ohren an ihren vorbei. Augenblicklich nahm Sammy seine Fährte auf.

»Sammy, aus!«, befahl Nele empört. »Das Kaninchen ist doch noch ein Baby.«

Aber Sammy hörte nicht auf sie. Begeistert jagte er hinter dem armen Kaninchen her. Otto folgte ihm bellend.

»Otto, bei Fuß!«, brüllte Tanne. »Sonst gibt es Hundekeks-Verbot.«

Aber Otto bewegte nicht einmal ein klitzekleines Ohr in ihre Richtung. »Zusammen sind die total frech!«, empörte sich Tanne.

Sammy kauerte vor einem stacheligen Rotdorn, der sich um einen riesigen uralten Baum rankte, und begann wie verrückt das lockere Moos aufzuwühlen.

Lukas lachte laut. »Der Sammy schaut aus wie ein Staubsauger«, kicherte er.

Entschlossen rannte Nele los und schnappte Sammy an seinem Halsband. »Lass das Kaninchen in Ruhe«, verwarnte Nele ihren ungezogenen Hund.

Klara war Nele neugierig gefolgt. »Glaubst du, da ist ein Kaninchennest?«, fragte sie sehnsüchtig. »Wenn wir schon die Eichhörnchen nicht mehr finden können, würde ich super gerne ein paar Kaninchenbabys sehen.« Sie ergriff mutig einen dickeren Rotdornstamm und versuchte, ihn zur Seite zu drücken. »Hoppla!« Plötzlich hatte sie einen ganzen Zweig in der Hand. »Was ist das denn?«, sagte sie verblüfft.

»Der Busch ist ja gar nicht angewachsen«, stellte Lukas verblüfft fest. Er zog seine Fahrradhandschuhe an, denn die Dornen waren ganz schön spitz, und nahm einen herumliegenden Ast zu Hilfe. Damit gelang es ihm ohne Mühe, den riesigen Rotdornbusch zur Seite zu schieben. Der uralte Baum dahinter war hohl. »Eine Höhle!«, rief Lukas aufgeregt. Hier ist ja eine richtige Höhle!«

Im gleichen Augenblick jagten Otto und Sammy laut bellend an ihm vorbei und verschwanden im Inneren des Baumstamms.

Auf allen vieren robbten die Schwarzen Rächer den beiden Hunden hinterher.

»Ein Geheimversteck«, rief Tanne entzückt, nachdem sie sich umgeschaut hatte. »Wir sind echte Glückspilze.«

Tanne hatte recht. Die Höhle war richtig gemütlich eingerichtet. Anscheinend hatte dort sogar jemand übernachtet, denn sie entdeckten Schlafsäcke, einen riesigen Süßigkeitenvorrat und Kerzenstumpen.

»Und ratet mal, wessen Geheimversteck das ist!«, rief Klara triumphierend und hielt ein Buch mit rosa Umschlag in die Höhe. Es war *Die Ponyprinzessin*.

»Na, dann ist ja alles klar«, stöhnte Nele. Wer außer Josefine würde dieses Buch lesen? Man musste schon eine echte Pferdenärrin sein, um sich durch die 400 Seiten zu quälen. Keiner war so verrückt nach Pferden wie Josefine. Klara natürlich ausgenommen.

»Hätte ich nicht gedacht, dass dieses doofe Kleeblatt so eine coole Höhle hat«, sagte Tanne neidisch.

Lukas gab ihr recht. »Die Höhle geht noch weiter«, schwärmte er. »Wenn man durch den ersten hohlen Baum durchläuft, landet man im zweiten und dahinter ist dann ganz viel Gestrüpp. So etwas Tolles habe ich noch nie gesehen.«

Tanne seufzte tief auf. »Echt gemein, dass wir die Höhle nicht zuerst gefunden haben.«

Obwohl sie noch gerne mehr Zeit in der Höhle verbracht hätten, beschlossen sie, lieber wieder ins Freie zu kriechen. Schließlich konnten sie ja jederzeit vom Kleeblatt überrascht werden. Auch Sammy und Otto wollten gar nicht wieder heraus. Die Höhle duftete einfach zu köstlich nach Kaninchenkacke.

Gerade als sie den dornigen Rotdornbusch wieder vor den Eingang zerrten, tauchten sie auf.

»Guck mal! Da sind die Eichhörnchen ja. Wie süüüüß!«, kreischte Klara los.

Im nächsten Moment bekam sie auch schon eine Nuss gegen den Kopf.

»Autsch!«, rief sie kichernd. »Ihr seid aber frech.«

Die kleinen Biester rasten in einem Affenzahn die Baumstämme hinauf und hinunter. Schließlich machte sogar eines von ihnen Pipi.

»Ihhhhhh«, beschwerte sich Klara lachend und sprang eilig zur Seite. Aber ein paar Spritzer kriegte sie trotzdem noch ab. Aber diesmal machte sie nicht so ein Theater wie an ihrem ersten Tag auf Burg Kuckuckstein.

»Ich sage es doch«, grinste Lukas und boxte sie freundschaftlich gegen den Arm. »Die Viecher haben dich so gerne, dass sie sich gar nicht mehr einkriegen vor Freude.«

Nachdem sie den Eichhörnchenbabys noch eine Weile beim Spielen zugeschaut hatten, machten sich die Schwarzen Rächer langsam auf den Heimweg. Tanne, Lukas und Nele stießen schon wieder wilde Racheschwüre aus. Nur Klara war ganz still und lächelte versonnen vor sich hin.

Auf der Kaninchenwiese hinter der Burg wartete eine Überraschung auf die vier.

Großtante Adelheid hatte das Zelt sorgfältig getrocknet und sauber gemacht und es für die Schwarzen Rächer wieder aufgebaut.

»Total lieb!«, rief Nele. Sie fiel ihrer Großtante stürmisch um den Hals und knutschte sie ab. »Jetzt haben wir wenigstens auch ein Hauptquartier.«

Plemplem, der die Großtante begleitet hatte und mit seinem schicken silbernen Fußkettchen klimperte, segelte Klara kreischend auf die Schulter. »KüsschenKüsschen-Küsschen!«

Wenig später hockten die Rächer ein bisschen ratlos in ihrem getrockneten Zelt und knabberten zusammen mit Plemplem Walnüsse.

»Unsere Rache muss auf jeden Fall etwas mit dem Geheimversteck zu tun haben, das ist jetzt schon mal klar«, sagte Nele schließlich. »Aber wie sollen wir uns rächen?«

Lukas nickte nachdenklich. »Mir kommt da plötzlich eine Idee. Als ich heute an der Stalltür von Melody gelauscht habe, unterhielten sich Florian und Basti über eine Überraschungsparty, die morgen steigen wird, und wer welche Süßigkeiten mitbringen soll. Ich habe natürlich die ganze Zeit geglaubt, dass Florian auf dem Campingplatz von seinen Eltern feiern will.« Er sprach nicht weiter und sah die restlichen Rächer erwartungsvoll an, um herauszufinden, ob sie das Gleiche dachten wie er.

»Quatsch mit Soße!«, rief Nele aufgewühlt. »Ist doch klar. Die Party findet in der Höhle statt. Schließlich ist das der coolste Ort auf der ganzen Welt.« Vor lauter Aufregung kniff sie Sammy ins Ohr.

»Wuff«, bellte Sammy. »Wuffwuffwuff«. Das hieß in der Hundesprache so viel wie »Ja, natürlich. Was hast denn du gedacht?«

Diese Nachricht mussten die Schwarzen Rächer erst einmal verdauen. Alle vier hatten eine Gänsehaut bis unter die Haarwurzeln.

»Dann geht es also schon morgen los«, fasste Lukas zusammen.

Nele, Tanne und Klara nickten entschlossen. Sie nahmen sich an den Händen und schauten sich fest in die Augen.

»Einer für alle, alle für einen!«, rief Nele euphorisch.

»Unternehmen *Rache ist süß* kann beginnen.«

Das achte Kapitel

beginnt mit ganz viel Kopfzerbrechen ✿ macht Nele
klar, dass Rache richtig harte Arbeit ist ✿ zeigt, dass in
Klara viel mehr steckt als eine Zicke ✿ sorgt vor dem
Schluss für richtiges Chaos und jede Menge Spaß ✿
und endet mit einem Riesenversprechen

Freunde für immer und ewig

»Diese Party versalzen wir dem Kleeblatt gründlich!«, rief
Nele aufgeregt.

Und ihre Freunde antworteten darauf zum dutzendsten
Mal: »Rache ist süß!«.

Danach wufften Otto und Sammy begeistert, bis Tanne
stopp rief und Plemplem säuselte: »Süßsüßsüß!« Diese
tierischen Untermalungen brachten die vier Schwarzen
Rächer so richtig in Stimmung. Wenn es nach ihnen gegangen wäre, hätten sie mit der Rache sofort loslegen
können, aber Nele erinnerte die Bande daran, dass eine
gute Rache erst einmal viel Kopfarbeit brauchte.

Zuallererst mussten sie, genau so wie es ihnen Großtante Adelheid geraten hatte, immer noch herausfinden, welche Art von Rache für das fiese Kleeblatt geeignet war.

»Vielleicht brauchen wir ja für jeden eine eigene Rache«, warf Klara nach langem Kopfzerbrechen ein.

Nele sah ihre Freundin verblüfft an. »Na klar, du hast recht. Schließlich kann man nicht alle drei mit denselben Sachen ärgern. Es muss dann nur irgendwie zusammenpassen.«

Tanne guckte verwirrt. »Das hört sich aber sehr kompliziert an. Ich verstehe im Augenblick nur Bahnhof.« Sie kratzte sich verzweifelt den Kopf.

»Also Josefine zum Beispiel hat Angst vor Mäusen«, sagte Nele spontan. Sie konnte sich noch total gut an Josefines Gezeter bei ihrer Burgparty erinnern, als ihr im Keller eine niedliche kleine Maus über die Sandale huschte.

»Und Basti glaubt an Werwölfe«, ergänzte Lukas verächtlich. »Das ist doch echt peinlich. Schließlich ist er schon neun.«

»Ahhh, jetzt verstehe ich!«, rief Tanne aus. »Florian, der Schisshase, hat Angst vor Geistern«, kicherte sie. »Als wir mit Herrn Direktor Zucker zusammen bei Nele in der Burg waren uns Herr Zucker uns etwas aus seinem Gespensterbuch vorlas, hat Florian ganz fest meine Hand gedrückt. Ich habe es nicht einmal euch erzählt, damit ihn keiner auslacht, aber ab heute ist es mir egal.« Sie zog einen trotzigen Flunsch.

»Der hat Händchen mit dir gehalten?«, kicherte Klara los. »Ist ja peinlich. Bei der *Ponyprinzessin* gibt es auch so ein Kapitel, da...«

Nele unterbrach sie. »Hör bloß auf damit!«, rief sie. Sie hielt sich die Ohren zu.

»Ist ja gut«, antwortete Klara gutmütig. »Ich schenke dir das Buch zum Geburtstag.«

Nele musste lachen. Klara war wirklich wieder ganz die Alte. In den ersten Tagen auf der Burg wäre sie jetzt bestimmt stocksauer gewesen.

»Das heißt, wir erschrecken Josefine mit Mäusen, Basti mit einem Werwolf und Florian mit Graf Kuckuck«, fasste Tanne zusammen.

»Genau!«, antworteten Nele und Lukas im Chor.

»Die fettesten Mäuse gibt es in Neles Burgkeller, und ich habe ein super tolles Gespensterkostüm zu Hause«, sagte Lukas begeistert. »Das hat glühende rote Augen, die werden mit so kleinen Batterien betrieben.«

Nele klatschte in die Hände. »Juchuh!!! Das ist super. Die Mäuse fangen wir mit Schokoladestückchen und Lebendfallen, damit sie sich nicht wehtun. Außer uns selber als Gespenster zu verkleiden, können wir auch noch Vogelscheuchen mit Kürbisköpfen basteln. In Papas Werkstatt stehen noch welche von Halloween herum, die wollte er schon auf den Kompost werfen.«

Tanne guckte skeptisch. »Aber wo sollen wir einen Werwolf auftreiben? Die laufen ja nicht einfach im Wald herum.«

Lukas kugelte über den Boden vor Vergnügen. »Basti glaubt das aber«, keuchte er. Er kriegte gar keine Luft mehr, so musste er lachen.

Klara guckte nachdenklich Otto an. »Ganz ehrlich, und das meine ich echt nicht böse: Ich finde, dass Otto fast so unheimlich bellt wie ein Werwolf, wenn er richtig sauer ist. Und wenn er die Zähne fletscht, sieht er auch wie einer aus.« Sie sah die restlichen Rächer erwartungsvoll an.

»Auch wenn er in Wirklichkeit der liebste Hund auf der ganzen Welt ist – außer Sammy«, ergänzte sie vorsichtshalber, damit Tanne nicht eingeschnappt war.

Tanne überlegte. »Eigentlich hast du recht. Ich muss ihn nur dazu bringen, zur richtigen Zeit stinkig zu sein.«

Tatendurstig stürzten sie los. Ab jetzt durften sie keine Minute mehr vertrödeln. Schließlich hatten sie nicht mehr als 24 Stunden Zeit für ihre Vorbereitungen.

Zuerst sammelte Nele aus allen Winkeln der Burg Lebendfallen ein. In einer Falle fand sie ein echtes Mausgerippe. Das war vielleicht eklig. Zusammen mit Klara begrub sie die arme Maus in Großtante Adelheids Kräuterbeet.

Als Nächstes stibitzte Nele aus der Küche eine Riesentafel Kochschokolade.

Als sie die Mausefallen gerade in einem Korb über den Hof schleppte, lief sie ihrer Mutter über den Weg.

»Was hast du denn mit den vielen Fallen vor?«, fragte Frau Winter verblüfft.

»Wegen Klara«, erfand Nele schnell eine Ausrede. Normalerweise vermied sie es, ihre Eltern anzuschwindeln. Aber das war eindeutig ein Notfall. »Sie fürchtet sich doch so schrecklich vor Mäusen.«

Frau Winter seufzte. »Arme Klara, sie ist wirklich ängstlich. Gut, dass sie in der Stadt wohnt. Sie würde sich hier bei uns gar nicht zurechtfinden.«

Der Meinung war Nele zwar überhaupt nicht, aber es war jetzt nicht der Moment, um ihrer Mutter zu widersprechen.

Gemeinsam mit Klara präparierte sie die Fallen im Keller. Dabei verfing sich ein gigantisches Spinnennetz in Klaras Haaren. Zu Neles Schrecken gesellte sich auch noch eine fette Spinne dazu. Das fand selbst die unerschrockene Nele eklig und sie kreischte laut auf. Zu ihrer Überraschung regte sich Klara gar nicht auf, sondern schnippte die Spinne einfach weg.

»Spinnen sind ja eigentlich total nützlich«, belehrte sie Nele. »Sie fressen die ganzen Stechmücken auf, das finde ich echt super.«

Insgesamt stellten sie zehn Fallen auf. »Sicher ist sicher«, sagte Nele und teilte sich die restliche Schokolade mit Klara. »Eine Handvoll Mäuse müssen wir auf jeden Fall zusammenkriegen, sonst wirkt die Rache nicht.«

Danach begannen die vier Schwarzen Rächer mit Feuer-
eifer, Vogelscheuchen zu basteln. Dafür verwendeten sie
Frau Winters ausgemusterte Bettlaken und die ausge-
höhlten Kürbisse aus Papas Werkstatt. Der war richtig
froh, dass er die Dinger loswurde, und fragte mit keiner
Silbe nach, was sie damit vorhatten.

Allerdings: die Idee mit Otto als Werwolf wollte nicht
so recht hinhauen. Der Grund war einfach – Otto war
momentan einfach nicht sauer. Egal, welche Faxen Tanne
machte, um ihn auf die Palme zu bringen: Sein Heulen
hörte sich höchstens an wie eine heisere Sirene.

Schließlich wurde es sogar Klara zu bunt. Sie legte sich
flach vor ihn, rollte die Augen so unheimlich es ging und
rief: »Otto, so musst du heulen!« Sie heulte los. Klaras

Heulen hörte sich wirklich schrecklich an. Nele hatte das Gefühl, als ginge ihr der Ton durch Mark und Bein. Selbst Lukas kriegte Gänsehaut, sogar auf den Knien.

Als der erste Schock vorbei war, lachten sich die anderen schwarzen Rächer halb kaputt. Klaras Heulen war perfekt und deshalb war eine Sache sonnenklar: Sie selber musste den Werwolf spielen. Allerdings brauchte sie natürlich dringend ein Kostüm.

Auf dem Bauernhof fand Lukas hinten im Schafstall eine löchrige alte Decke in einem schmutzigen Braun. Gemeinsam werkelten sie daraus einen pelzähnlichen Sack, in den Klara hineinschlüpfen konnte. Sie sah darin furchtbar eklig aus, wie ein alter, grausiger Wolf.

»Hoffentlich sind da keine Flöhe drin«, sagte Lukas besorgt.

Ehe Klara protestieren konnte, hatte Nele auch schon das Flohspray in der Hand und nebelte ihre Freundin hilfsbereit damit ein.

Klara kriegte prompt einen furchtbaren Hustenanfall. »Bist du total verrückt?«, keuchte sie. »Das Spray ist doch für Menschen gar nicht geeignet.«

Tanne klatschte begeistert in die Hände. »Jetzt hast

du die Originalstimme vom Werwolf. Basti wird sich bestimmt in die Hosen machen, wenn er dich hört und mich sieht.«

Die vier Schwarzen Rächer kriegten sich gar nicht mehr ein vor Freude. Alles lief wie am Schnürchen. Jetzt mussten nur noch die Mäuse anbeißen. Und wirklich. Wie Nele vorausgesehen hatte, waren die Burgmäuse völlig wild nach Süßigkeiten. Großtante Adelheids Schokolade schien ihnen tausendmal besser zu schmecken als stinknormaler Käse. Denn in den Fallen hockten gleich mehrere verwirrte Mäuse.

Klara zählte insgesamt fünfzehn ausgewachsene Tiere und drei Babys. »Hoffentlich kriegen die Babys keinen Schock«, sagte Klara besorgt. »Wollen wir die nicht lieber wieder freilassen?«

Nele schüttelte entschieden den Kopf. »Dann werden sie ja von ihrer Mama getrennt, wenn wir nur die Großen in den Wald bringen. Also wie bei Hänsel und Gretel, nur umgekehrt.«

Noch vor dem Abendbrot war alles fertig. Die vier Schwarzen Rächer waren so erschöpft wie sonst nur nach einer Mathearbeit.

»Noch einmal schlafen, dann ist es so weit«, rief Tanne und hob den Daumen.

»Einer für alle und alle für einen«, sagte Lukas und fuhr klingend nach Hause. Je schneller er im Bett lag, umso eher konnte er wieder aufstehen, behauptete er.

In dieser Nacht konnten Nele und Klara vor Aufregung kaum einschlafen. Unruhig wälzten sie sich in ihren Betten hin und her. Nur Sammy schnarchte friedlich vor sich hin.

Kaum wurde es hell, rannte Nele hinunter in den Keller, um nach ihren gefangenen Mäusen zu sehen. Sicherheitshalber holte sie noch mehr Schokolade aus der Küche und fütterte die Tierchen durch die Käfige mit einer Extraration. Schließlich sollten die armen Dinger ja nicht Hunger leiden.

Gleich nach dem Frühstück trafen sich die vier Schwarzen Rächer im ihrem Hauptquartier. Dort lagen bereits die gebastelten Vogelscheuen und das Werwolf-Kostüm. Nele und Klara schleppten auch noch die Mäuse herbei und verschlossen das Zelt sorgfältig, damit Sammy und Otto nicht auf dumme Ideen kamen und ausbüxen konnten.

Anschließend begaben sie sich erneut auf Erkundungstour. Gespannt beobachteten sie, wie das Kleeblatt schon mal jede Menge Fressalien und Getränke in ihr Versteck schleppte.

»Diese Party versalzen wir euch gründlich!«, knurrte Nele. Und das meinte sie absolut wortwörtlich.

Sobald das Kleeblatt verschwunden war, legten die vier Schwarzen Rächer in Windeseile los. Zuerst schafften sie den Rotdornbusch zur Seite.

»Sesam, öffne dich!«, kicherte Nele und schwang den Ast wie einen Zauberstab.

Lukas drehte vorsichtig die Schraubverschlüsse der Saftflaschen lose. Danach füllte Tanne löffelweise Salz in die Hälse ein. Inzwischen schnitt Klara mit einer Nagelschere höchst vorsichtig die Tüten mit den Erdnussflips auf und pustete mit einem Strohhalm Pfeffer hinein.

»Pass auf, dass du nichts in den Hals kriegst«, warnte Lukas. »Das ist ganz fies!« Zu spät. Im gleichen Augenblick fing Klara auch schon an zu keuchen.

»Hier, trink einen Schluck!« Hilfsbereit reichte ihr Nele eine Flasche Limonade.

»Pfui!!!!« Entsetzt spuckte Klara den Mundvoll Limo in hohem Bogen wieder aus.

»Oh nein, tut mir total leid! Das war die falsche Flasche«, schrie Nele entsetzt auf. Gleichzeitig musste sie aber furchtbar lachen, weil Klara so ein angeekeltes Gesicht machte.

»Na, warte!«, schimpfte Klara. »Rache ist süüüüüüß!« Sie nahm ihre Freundin in den Schwitzkasten und zwang sie, ebenfalls aus der Salz-Flasche zu probieren. Sekunden später kugelten die beiden balgend über den Erdboden.

»Hört sofort auf«, befahl Lukas ärgerlich. »Sonst fliegt die Sache noch auf. Das Kleeblatt kann jeden Augenblick zurückkommen.«

Gerade als die vier Schwarzen Rächer verduften wollten, entdeckten sie einen leckeren Marmorkuchen, der von einem karierten Geschirrtuch abgedeckt auf einer umgedrehten Obstkiste stand.

Nele knibbelte eine winzige

Ecke davon ab und testete den Kuchen. »Hmmmm, sehr lecker«, lobte sie.

Tanne und Karla taten es ihr gleich und pulten ein Stückchen von unten heraus. »Irgendetwas fehlt da noch. Aber ich komme einfach nicht dahinter, was«, sagte Nele gespielt nachdenklich. »Probier du auch mal, Lukas.«

Lukas grinste und biss einfach in die Seite. »Du hast recht. Ein paar Gewürze könnten nicht schaden. Den pfeffern und salzen wir auch noch ein wenig nach, damit er besser schmeckt.« Gesagt, getan.

Gewissenhaft verschlossen sie die Räuberhöhle wieder mit dem Rotdornbusch.

Dann legten sie sich auf die Lauer.

Dieses Mal wurde ihre Geduld ganz schön auf die Folter gespannt. Schließlich mussten sie so lange ausharren, bis es dunkel wurde.

Gerade als Nele alle Glieder eingeschlafen waren und Tanne verzweifelt mit einer Armee Ameisen kämpfte, die es sich in ihrer Socke gemütlich gemacht hatten, trudelten die ersten Gäste ein.

»Wie albern ist das denn? Lauter Mädchen aus dem Reitstall«, stöhnte Lukas.

Nele und Tanne kicherten. »Höchstens zweite Klasse, drei sind sogar aus der ersten«, spottete Nele. »Wundert mich ehrlich nicht. Wer will denn was mit der Angeberin zu tun haben?«

Es war ganz deutlich zu sehen, dass sich Florian und Basti unter den ganzen kleinen Pferdemädchen etwas unwohl fühlen. Als einziger anderer Junge war außer den beiden nur Max gekommen. Er war genauso alt wie Josefine und ihr Vetter. Er hatte nagelneue Sportklamotten an und gab so laut mit seinem Rennrad an, dass man es bis zum Versteck der Schwarzen Rächer hören konnte.

»So ein Langweiler«, sagte Tanne verächtlich. »Mit dem redet in der großen Pause nie jemand«, klärte sie Klara auf. »Der gibt an, ohne einmal dazwischen Luft zu holen.«

Dann legten sie los. Jetzt musste alles wie am Schnürchen klappen.

Gleich nachdem das letzte Mädchen in der Höhle verschwunden war, bauten sie in Windeseile die zwei gruseligen Vogelscheuchen wie Wächter vor den Eingang auf und beleuchteten ihre hohlen Kürbisköpfe mit Taschenlampen. Zusätzlich knipsten sie die glühenden roten Augen von Lukas' Gespensterkostüm an.

Klara schlüpfte in ihr stinkendes Werwolffell, während Nele die Lebendfallen direkt vor dem Eingang aufbaute, um die Mäuse im goldrichtigen Moment freizulassen. Natürlich direkt hinein in das Versteck.

»Parole: Einer für alle und alle für einen!«, flüsterte Nele.

Jetzt mussten die vier Schwarzen Rächer ein allerletztes Mal warten und eine riesige Portion Glück haben.

»Ich muss aufs Klo«, jammerte Klara nach einer ganzen Weile dumpf. »Wenn nicht gleich etwas passiert, dann dreh ich durch.« Sie fuchtelte wild mit ihren Werwolf-Tatzen herum und drehte sich wie ein Brummbär im Kreis.

Im gleichen Moment hörten sie lautes Geschrei und wildes Mädchenkreischen. Anscheinend hatten die Partygäste von den gepfefferten Leckereien probiert und waren richtig stinkig.

Gerade rechtzeitig, nämlich

als Basti stocksauer im Freien auftauchte, jagte Nele ihre Mäuse in die Höhle hinein. Dann schlug sie sich eilig in die Büsche, damit sie nicht entdeckt wurde.

Gleich darauf lief Basti der herumstolpernden Werwolf-Klara direkt in die Arme. Er erschrak ganz furchtbar. Geistesgegenwärtig fing Klara wie verrückt zu bellen und zu knurren an.

»Hiiiilfe. Werwölfe!«, schrie Basti angsterfüllt.

Er schnappte sich das Rennrad von Max und radelte über Stock und Stein davon, ohne sich ein einziges Mal umzudrehen.

Als Nächste tauchte Josefine aus der Höhle auf. »Mäuse!!! Überall sind eklige Mäuse in unserem Essen!« Sie kreischte so furchtbar laut, dass die schlafenden Waldvögel fast aus ihren Nestern fielen.

Im selben Moment quetschte sich Florian durch den Höhleneingang und wurde zur Begrüßung herzlich von einem Gespenst umarmt. Tanne war nämlich spontan unter das Bettlaken geschlüpft, hatte sich Florian in den Weg gestellt und ihn an sich gedrückt.

»Zum Kuckuck mit dir. Zum Kuckuck mit dir«, brüllte das Gespenst.

Florian begann zu zittern wie Espenlaub. »Bitte tu mir nichts, Herr Graf«, schluchzte er, bevor er Fersengeld gab.

Tanne kreischte vor Vergnügen lauthals los und warf sich kichernd auf den Waldboden.

Verblüfft blieb Florian stehen und schaute sich um. Als er Tanne erkannte, wurde sein Kopf röter als jede Walderdbeere. So schnell ihn seine Füße trugen, rannte er davon.

»Einer für alle und alle für einen!«, brüllten die Schwarzen Rächer euphorisch. Sie kriegten sich gar nicht mehr ein vor Lachen.

Ein Pferdemädchen nach dem anderen verschwand beleidigt im Wald, bis das Geheimversteck schließlich einsam und verlassen war.

»Der Denkzettel sitzt!«, sagte Nele zufrieden. »So bald spuckt uns das Kleeblatt nicht mehr in die Suppe. Schade, dass die Erdnussflips ungenießbar sind.«

»Du kannst gerne welche probieren«, kicherte Tanne. »Schmecken merkwürdig lecker.«

Als die Schwarzen Rächer schließlich in ihrem eigenen kuscheligen Zelt saßen, wo sie schon sehnsüchtig von Otto und Sammy erwartet wurden, schlugen sie sich den

Bauch erst einmal mit einem Berg Würstchen und Limonade voll. Und obendrein gab es für jeden Rächer sogar noch ein Stück von der Mäuseschokolade.

»Hoffentlich geht es den Mäusen gut«, murmelte Nele, bevor sie die Augen schloss und in Tiefschlaf verfiel.

Als die vier Schwarzen Rächer am nächsten Morgen mit dem ersten Hundebellen aufwachten, waren sie so richtig zufrieden, und auch die Sonne strahlte aus allen Knopflöchern.

Gleich nach dem Frühstück radelten sie gemeinsam zum Kleeblatt-Versteck. Aber dort waren bereits alle Partyspuren beseitigt. Nur Max irrte schimpfend herum und suchte seine Fahrradklingel, die bei Bastis Flucht verloren gegangen war.

Das Kleeblatt zerstritt sich nach dieser Pleite total – und das erfuhr Tanne ausgerechnet von Florian. Der tauchte nämlich ein paar Tage später ziemlich geknickt im Hofladen von Tannes Mama auf und wollte unbedingt seine Schummelschulden einlösen.

Zum Glück war Tanne nicht nachtragend und so verbrachte sie einen erstaunlich lustigen Nachmittag mit Florian im Eiscafé. Florian brachte seinen Dackel Drago

mit und Tanne gelang es, Drago das Zählen bis drei bei-
zubringen.

Leider gingen die Ferientage viel zu schnell vorbei und
Klara musste wieder nach Hause in die Stadt fahren. Zum
Abschied winkte die ganze wilde Bande dem Zug hinter-
her, und Klara musste so doll weinen, dass sie fast ihren
Koffer auf dem Bahnsteig stehen ließ. Die drei übrigen
Schwarzen Rächer hatten zum Abschied eine richtige
Flagge für Klara gebastelt. Auf der stand mit Kartoffel-
druck geschrieben:

Für Klara, die Schwarze Rächerin.

Und weil die Zeit nicht mehr ausreichte, hatte Nele mit
Stofffarbe darunter gemalt:

Die liebste Freundin der Welt!

Keine Frage also, dass Klara so schnell wie möglich wieder Ferien auf Burg Kuckuckstein machen wollte. Zusammen mit den Schwarzen Rächern natürlich. Und am besten einen ganzen Sommer lang.

❦ ♥ Aus Neles Tagebuch ♥ ❦

Seit Klaras Besuch habe ich eine eigene Bande! Tanne, Lukas, Klara und ich sind die Schwarzen Rächer! Das ist supercool, finde ich. Aber eine richtige Bande braucht auch richtige Banden-Regeln. Und damit die keiner von uns vergisst, habe ich sie hier aufgeschrieben.

 ## Die Regeln der Schwarzen Rächer

Unser Motto:
Rache ist süß!

Unser Hauptquartier:
Hoch oben zwischen den Burgzinnen

Unser Maskottchen:
Plemplem

Regel Nummer 1:

Es gibt keinen Banden-Chef – alle haben gleich viel zu sagen!

Regel Nummer 2:

Wir wollen denen helfen, die von anderen geärgert werden.

Regel Nummer 3:

Wir halten immer zusammen.
Einer für alle – alle für einen!

Regel Nummer 4:

Wir sagen uns immer die Wahrheit.
Weil seine Freunde anlügen geht gar nicht.

Regel Nummer 5:

Sammy und Oskar werden als Banden-Hunde in unseren Geheimbund aufgenommen. Als Erkennungszeichen bekommen sie rot-schwarze Piratenhalstücher umgebunden. Andere Hunde dürfen nicht mitmachen.

Das Banden-Zeichen:

Wir haben für unser Hauptquartier eine Banden-Flagge gebastelt mit einem gefährlichen Totenkopf drauf. Die weht jetzt hoch über den Burgzinnen – zur Abschreckung für alle Feinde!

Um eine Flagge zu basteln, brauchst du:

⭐ 1 langen Ast

⭐ 1 altes schwarzes Bettlaken

⭐ 1 Stoffkreide

⭐ 1 Flasche weiße Stofffarbe

　　(gibt es im Bastelgeschäft oder im Kaufhaus)

⭐ 1 Pinsel

- Breitet das Bettlaken auf dem Boden aus – am besten geht das draußen, da macht es nichts, wenn die Farbe verkleckert. Legt ein paar Steine auf die Ecken, damit das Bettlaken nicht davonweht.
- Überlegt euch ein Zeichen für eure Bande und malt es vorher ein paar Mal auf Papier zum Üben.
- Malt das Logo mit Stoffkreide auf das Bettlaken. Wenn etwas danebengeht, könnt ihr es jetzt noch korrigieren.
- Taucht den Pinsel in die Stofffarbe und malt los!
- Lasst die Farbe gut trocknen. Dann bindet ihr zwei Ecken des Bettlakens an den oberen Teil des Asts – und fertig ist eine supertolle Banden-Flagge!

Die besten Banden-Geschichten

Ich habe ein paar Bücher aus der Bücherei ausgeliehen, in denen von anderen coolen Banden erzählt wird.

Am liebsten mag ich diese Geschichten:
Howard Pyle: Robin Hood
Astrid Lindgren: Kalle Blomquist
Max von der Grün: Vorstadtkrokodile
Enid Blyton: Die Insel der Abenteuer-Reihe
Cornelia Funke: Herr der Diebe

Klara liest ja am allerliebsten Ponybücher. Also habe ich mir auch mal drei aus der Bücherei ausgeliehen. Vielleicht gefallen mir die Geschichten ja auch:

Hilke Rosenboom: Ein Pferd namens Milchmann
Linda Chapman: Sternenschweif
Marguerite Henry: König des Windes

Ich bin mal echt gespannt!

Das beste Banden-Kraftfutter

Weil man vom wilden Banden-Leben so furchtbar hungrig wird, muss man unbedingt immer einen Notvorrat mit Essen dabei haben. Weil man weiß ja nie, was alles passiert, wenn man in geheimer Mission unterwegs ist. Und weil man mit einem Loch im Bauch weder Nachdenken noch gut andere rächen kann, habe ich hier aufgeschrieben, was ich am liebsten esse. So verhungert ihr auf keinen Fall!

Ich packe das Essen immer in kleine Vorratsdosen aus Plastik und stecke sie in den Rucksack.

Gemüse-Schnitze

Man kann alles nehmen, was der Gemüsegarten so hergibt. Ich mag gerne

☆ Karotten in Stifte geschnitten

☆ Kohlrabi in dünnen Scheiben

☆ Paprika in Ringe geschnitten

☆ Gurkenstücke

☆ Radieschen (die kann man auch im ganzen essen ☺)

☆ Kleine süße Cocktail-Tomaten

☆ Oder alles, was euch gut schmeckt!

Das Gemüse muss gut gewaschen und manchmal auch geschält werden. Gurken und Kohlrabi zum Beispiel. Schneidet das Gemüse in Stücke und packt alles in die Vorratsdose – fertig!

Wenn ihr länger unterwegs seid, weil ihr zum Beispiel den ganzen Tag am Badesee plantschen wollt, dann könnt ihr zu den Gemüse-Schnitzen noch zwei Dips machen. Die kann man auch super mitnehmen.

Kräuter-Quark

Dafür braucht ihr:

☆ 1 Becher Quark

☆ 1 Esslöffel Schmand

☆ Verschiedene Kräuter wie Petersilie,
   Schnittlauch und Dill

Wascht die Kräuter und tupft sie vorsichtig mit einem sauberen Küchentuch trocken. Dann schneidet ihr sie klein. Vermischt den Quark mit dem Schmand, bis alles schön cremig ist und rührt dann die Kräuter darunter.
Würzt alles mit Salz und Pfeffer. Wenn ihr eine Zitrone zu Hause habt, könnt ihr den Quark mit einem Spritzer Zitronensaft aufpeppen.

Radieschen-Quark

Dafür braucht ihr:

☆ 1 Becher Quark

☆ 1 Esslöffel Schmand

☆ 1 Bund Radieschen

☆ 1 Lauchzwiebel

Wascht die Radieschen und die Lauchzwiebel gut ab. Schneidet die Radieschen in kleine Würfel und die Lauchzwiebel in dünne Ringe.

Vermischt den Quark mit dem Schmand, bis alles schön cremig ist und rührt dann die Radieschenstücke und Lauchzwiebelringe darunter.

Würzt alles mit Salz und Pfeffer.

Super, wenn man ganz viel rumgetobt hat, sind auch Müsliriegel oder Muffins, weil die einen schnell wieder auf die Beine bringen, wenn man schon ganz wackelige Knie hat.

Ein Rezept für Schokomuffins findet ihr in *Nele und die Geburtstagsparty*.

Und wenn ihr draußen im Wald unterwegs seid, dann findet ihr im Sommer vielleicht auch Walderdbeeren oder eine Himbeerhecke oder Brombeersträucher. Frisch gepflückte Beeren sind natürlich am allerleckersten!

Usch Luhn
Nele und die neue Klasse

Band 1, 128 Seiten, ISBN 978-3-570-13951-6

Obwohl Nele sich in ihrem neuen Zuhause, der verwunschenen
Burg Kuckuckstein, pudelwohl fühlt, hat sie doch ein bisschen Bammel
vor dem ersten Tag in der neuen Klasse. Dann aber lernt sie die fröhliche
Quasselstrippe Tanne kennen, und weiß, dass sie eine tolle neue
Freundin gefunden hat. Kann da der erste Schultag wirklich so schlimm
werden? Ja, sogar noch viel schlimmer: Noch vor der ersten Stunde gerät
sie in Streit mit der fiesen Josefine und plötzlich passieren Nele
lauter schreckliche Missgeschicke ...

www.cbj-verlag.de

10173

Usch Luhn
Nele auf dem Ponyhof

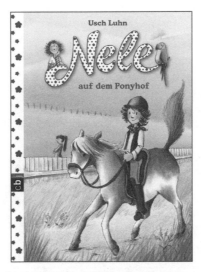

Band 2, 128 Seiten, ISBN 978-3-570-13953-0

Aufregung auf Burg Kuckuckstein: Das Dach ist undicht und muss renoviert werden. Zum Glück kommt gerade Großtante Adelheid von ihrer Südseereise zurück und macht Nele einen grandiosen Vorschlag: Gemeinsam wollen sie sich eine Woche auf dem nahe gelegenen Reiterhof Sonnenblume einquartieren – und der Papagei Plemplem kommt einfach mit! Nele freut sich wie verrückt. Schließlich liebt sie Ponys über alles! Doch als sie erfährt, dass auch ihre allerschlimmste Klassenfeindin Josefine dort reitet, kommt es zu ungeahnten Verwicklungen ...

10174

www.cbj-verlag.de

Usch Luhn
Nele und die Geburtstagsparty

Band 3, 128 Seiten, ISBN 978-3-570-13952-3

Nele ist total hibbelig, denn bald ist ihr neunter Geburtstag!
Großtante Adelheid erweist sich als großartige Party-Planerin und hat
lauter verrückte Ideen, wie sie ihren Ehrentag begehen könnten.
Nur auf die Frage, was sie sich wünscht, will Nele partout nichts einfallen.
Als der Hofhund von Lukas Eltern Junge bekommt, ist sich Nele plötzlich
ganz sicher: Sie will den kleinen süßen Welpen Sammy!
Doch da hat Mama was dagegen ...

www.cbj-verlag.de

10175